À l'école de John Main, la méditation chrétienne

Paul Harris

À l'école de John Main, la méditation chrétienne

traduit de l'anglais par
Jean Chapdelaine Gagnon

NOVALIS

À l'école de John Main, la méditation chrétienne est publié par Novalis.

Éditique : Christiane Lemire et Francine Petitclerc
Couverture : Christiane Lemire

© Novalis, Université Saint-Paul, Ottawa, Canada, 2004.

Dépôt légal : 3ᵉ trimestre 2004
    Bibliothèque nationale du Canada
    Bibliothèque nationale du Québec

Novalis, 4475, rue Frontenac, Montréal (Québec), H2H 2S2
        C.P. 990, succursale Delorimier, Montréal (Québec), H2H 2T1

ISBN : 2-89507-539-5

Imprimé au Canada

Les citations bibliques, sauf indication contraire, sont tirées de La Bible TOB.

Nous reconnaissons l'aide financière du gouvernement du Canada par l'entremise du Programme d'aide au développement de l'industrie de l'édition (Padié) pour nos activités d'édition.

Catalogage avant publication de la Bibliothèque nationale du Canada
Harris, Paul T. (Paul Turner), 1926-
    À l'école de John Main, la méditation chrétienne
    Traduction de: Christian meditation : contemplative prayer for a new generation.
    Comprend des réf. bibliogr. et des index.
    ISBN 2-89507-539-5
    1. Méditation - Christianisme. 2. Contemplation. I. Titre.
BV4813.H3714 2004   248.3'4   C2004-941200-0

NOVALIS

Avant-propos

Depuis la mort du moine bénédictin John Main, le 30 décembre 1982, ses enseignements sur le silence et l'immobilité dans la prière se sont répandus sur la planète et rallient aujourd'hui une communauté mondiale de méditants. La renaissance de la pratique de la prière contemplative amène des gens de diverses traditions religieuses — hommes et femmes, jeunes et vieux, riches et pauvres — à une discipline spirituelle quotidienne nourrie de foi à laquelle s'adonnaient les moines du désert dans les tout premiers siècles du christianisme.

Plus de mille groupes de méditation chrétienne, qui se réunissent hebdomadairement, prospèrent aujourd'hui dans cinquante pays du monde. À cause de cette floraison, bien des gens estiment que les enseignements de John Main jouent un rôle vital dans le renouveau contemplatif contemporain, encore balbutiant en christianisme. Les chrétiens commencent à peine à ressaisir l'importance de l'*immobilité* dans la prière. « Nous avons connu un renouveau biblique, un renouveau liturgique, et c'est d'un renouveau dans la prière dont nous avons maintenant besoin », disait un jour John Main. Il se rendait aussi parfaitement compte de ce que, sans cette expérience et cette discipline spirituelles de la prière, la religion se dessèche purement en moralisme stérile, en ritualisme, en débat théologique vide de sens ou en creuse observance de règles.

Nous faisons maintenant l'expérience d'un renouveau intérieur. On dit que Dieu suscite à chaque époque des prophètes et des maîtres pour veiller à la poursuite de son œuvre. Ce livre est le produit de l'influence des enseignements de John Main sur la prière, enseignements qui font de ce moine bénédictin l'un des grands maîtres spirituels du XXe siècle. Pour cette raison, chaque chapitre s'ouvre par une courte citation empruntée au remarquable guide et communicateur qu'il fut de cette tradition de la prière.

Pour conclure ses causeries sur la méditation chrétienne, John Main avait coutume d'inviter ses auditeurs à poser des questions sur l'enseignement donné. S'il ne manquait jamais d'exhorter ses auditeurs « à entrer dans l'expérience même de la méditation », il n'ignorait cependant pas que les Occidentaux rationalistes ressentent le besoin d'appréhender par des concepts la méditation avant de s'y adonner en toute confiance. Répondre à des questions est d'ailleurs une tradition pédagogique séculaire en christianisme. Au chapitre sept de la première épître aux Corinthiens, saint Paul répond à des questions spécifiques que la communauté grecque lui avait adressées, oralement ou par écrit.

S'inspirant de cet exemple, À l'école de John Main, la méditation chrétienne s'adresse non seulement à ceux qui désirent en savoir davantage sur cette tradition de prière, mais également à ceux qui méditent déjà.

Comme le disait jadis John Main : en méditation, nous sommes tous des commençants, nous recommençons chaque jour. Puisse ce livre traduire en partie, pour les nouveaux venus, les enseignements profonds et cependant simples de John Main sur la méditation chrétienne, et proposer des solutions aux obstacles et aux blocages rencontrés par ceux qui méditent déjà.

Plusieurs des sujets et des préoccupations dont traite cet ouvrage ont fait l'objet de questions dans le cadre de retraites, d'ateliers et de conférences sur la méditation chrétienne que j'ai donnés, ces dernières années, dans divers pays du monde.

Bien sûr, la fécondité de ce livre reposera sur un exercice *empirique* de la méditation et sur des lecteurs qui se mettront en quête de l'immobilité intérieure par la discipline spirituelle quotidienne de la méditation. Comme John Main ne se lassait pas de le dire, simplement parler de méditation ou lire sur la méditation ne suffira jamais. En fait, la méditation ne s'enseigne pas vraiment, pas plus qu'elle ne s'explique vraiment de manière rationnelle. Elle ne s'analyse ni ne se dissèque. Un dicton veut qu'elle ne *s'enseigne* pas, mais qu'elle *se saisisse*.

Telle que l'enseigne John Main, la contemplation — autre appellation de la méditation — ne se prête pas, comme d'autres formes de théologie, à une définition dogmatique. Veuillez donc prendre note que cet ouvrage n'est pas le catéchisme officiel en matière de pratique de la méditation chrétienne! Il reflète simplement mon point de vue personnel sur des questions et des problèmes fondamentaux que les gens soulèvent et sur des interrogations qui me sont venues dans ma pratique de la méditation. Réagissant aux mêmes questions, d'autres méditants y répondraient peut-être très différemment. Chaque personne a un cheminement unique, dont elle peut néanmoins partager avec les autres l'unicité.

Qu'il soit possible de résumer la pratique de la méditation chrétienne en trois simples mots — « dites votre mantra » — voilà probablement l'assertion la plus pénétrante de John Main. Puisse cette vérité transparaître dans ce livre à mesure que le lecteur s'absorbera toujours plus profondément dans l'*expérience* même du silence et de l'immobilité, et sera introduit dans le « royaume qui transcende mots et noms ».

Chapitre 1

La méditation,
prière chrétienne

Fondamentalement, la méditation est un moyen d'atteindre votre centre, l'assise de votre être et de vous y maintenir — immobiles, silencieux, attentifs. La méditation est pour l'essentiel un moyen d'apprendre à devenir éveillé, pleinement vivant et cependant immobile. [...] Le silence et l'immobilité conduisent à [...] cet état de veille.

Cela représente tout un défi pour nos contemporains, parce que la plupart d'entre eux ont très peu l'expérience du silence et le silence peut être terriblement menaçant pour des gens qui, comme nous, vivent dans la culture du transistor. Il faut s'habituer à ce silence. C'est pour cela que la voie de la méditation consiste à apprendre à dire un mot intérieurement, dans son cœur.

(John Main, *Le chemin de la méditation*, p. 159-160)

Il nous faut apprendre, je crois, que nous n'avons pas à créer le silence. Le silence est là, en nous. Il s'agit pour nous de l'épouser, de devenir silencieux, de devenir silence. Nous permettre de devenir assez silencieux pour laisser émerger le silence intérieur, tels sont le défi et la finalité de la méditation. Le silence est la langue de l'Esprit.

(John Main, *Le chemin de la méditation*, p. 127)

Apprendre à dire votre mantra, apprendre à dire votre mot, oublier tout le reste — mots, idées, imaginations et fantasmes — c'est apprendre à vous associer à la présence de l'Esprit qui habite le fond de votre cœur et l'habite amoureusement. L'Esprit de Dieu habite notre cœur en silence. Avec foi et humilité, il faut nous associer à cette présence silencieuse.

Le but de la méditation chrétienne est de permettre à la présence mystérieuse et silencieuse de Dieu en nous de devenir non seulement une réalité, mais davantage la réalité, cette réalité qui donne un sens, un contenu [une forme] et une raison d'être à tous nos actes, à tout notre être.

(John Main, *Un mot dans le silence, un mot pour méditer*, p. 17)

L a voie de la méditation chrétienne s'éclaire à la lumière de deux citations. Des paroles de Jésus composent la première (*Lc* 17,20-21) : « Le Règne de Dieu ne vient pas comme un fait observable. On ne dira pas : " Le voici " ou " Le voilà ". En effet, le Règne de Dieu est [au-dedans de] vous. » La seconde se compose de mots inoubliables de saint Augustin (350-430) : « J'ai tardé à t'aimer, beauté si ancienne et si neuve, j'ai tardé à t'aimer! Ah! Voilà : tu étais au-dedans, moi au-dehors, et je te cherchais dehors où je me ruais [...] » (*Confessions*, X, 27, p. 290). Dans ces deux citations, il est question d'un cheminement intérieur, du chemin de la méditation chrétienne par lequel nous tendons vers Dieu, dans le silence et l'immobilité du cœur, pendant des périodes de prière quotidiennes. Et, comme nous le dit John Main, c'est dans le silence et l'immobilité de la méditation que Dieu nous révèle, par des voies mystérieuses, son amour pour nous.

On entendait autrefois par prière contemplative le fait d'atteindre, dans la prière, à l'immobilité et au silence intérieurs. C'est ce à quoi aspirent aujourd'hui plusieurs adeptes de ce que nous appelons la méditation de tradition chrétienne. Si on avait à définir la pratique de la méditation chrétienne, on pourrait dire qu'il s'agit d'une discipline spirituelle quotidienne conduisant à l'attention, à la concentration, au silence, à Dieu. La méditation est donc beaucoup plus qu'une méthode de prière parmi d'autres, elle relève de la foi pure. Elle est réellement reddition de tout notre être à Dieu. Elle se définit toutefois davantage par l'action de Dieu que par notre action. En réalité, méditer est s'associer en son for intérieur à la prière de Jésus au Père, dans l'Esprit. Et cette prière de la Trinité nous transporte, comme le dit John Main. Très peu de ce que nous accomplissons dans la méditation dépend de notre volonté ou de nos ressources; une force plus secrète en nous se charge en effet de tout : l'Esprit prie en nous.

Beaucoup de ceux qui se sont mis à la méditation ont fait l'expérience qu'en méditant il leur était possible de trouver Dieu au centre de leur cœur et que cette découverte, cette expérience transformaient leur vie. « Le centre de l'âme c'est Dieu » écrit Jean de la Croix

(1542-1591), l'admirable carme du XVIᵉ siècle, dans *La vive flamme d'amour* (*Œuvres spirituelles*, p. 920). Et Julienne de Norwich (1342-1416) : « Dieu est la pointe immobile en mon centre. » La méditation est un pèlerinage quotidien au centre de soi et un art de vivre à partir du centre intime de l'être.

Une forme de prière plus profonde que les mots

Les nouveaux venus demandent souvent si la méditation est réellement prière. Nous avons coutume de concevoir très différemment la prière, par exemple de « trouver du temps pour faire nos prières ». Il existe une forme de prière plus profonde que les simples mots. Jésus en témoigne : « Quand vous priez, ne rabâchez pas comme les païens; ils s'imaginent que c'est à force de paroles qu'ils se feront exaucer. Ne leur ressemblez donc pas, car votre Père sait ce dont vous avez besoin, avant que vous le lui demandiez » (*Mt* 6,7-8).

Saint Paul nous donne un autre aperçu de ce qu'est la prière : « Nous ne savons pas prier comme il faut, mais l'Esprit lui-même intercède pour nous » (*Rm* 8, 26). Plus nous étudions les Écritures, plus nous percevons le fait d'être silencieux et immobile en prière comme le cœur du message évangélique et de la vie chrétienne. (Sur les bases scripturaires de la méditation chrétienne, voir le chapitre 6.)

Le moine du désert Évagre (346-399) écrivait au IVᵉ siècle cette célèbre définition de la prière : « La prière élève vers Dieu l'intellect et le cœur en écartant toutes pensées ». Ce à quoi nous nous employons dans la méditation. Nous dépassons les mots et les pensées pour nous reposer dans le Seigneur et laisser Dieu prier en nous.

« Que je marche devant le Seigneur, dit le psalmiste, au pays des vivants » (*Ps* 116,9). En devenant silencieux dans cette « prière sans images ni mots », nous affinons notre perception de la présence de Dieu dans notre existence et nous reconnaissons notre totale dépendance à son égard. Dans le silence du désert, Dieu s'est adressé à Moïse et, dans les abîmes de notre silence, Dieu dit sa prière en nous. Ce n'est pas tant « ma prière » qui importe, disait John Main, que la prière de Jésus à laquelle je suis conduit.

Être rendu à soi-même

Saint Augustin décrit admirablement la vie spirituelle : « Il nous faut être d'abord rendu à nous-même de telle façon qu'usant de nous-même comme d'un tremplin nous puissions nous élancer et nous élever jusqu'à Dieu. »

John Main rappelle que la méditation n'est pas essentiellement une manière de *faire*, mais une manière de *devenir*, de devenir soi-même et de parvenir à la connaissance de soi. Dans cette manière de prier, explique-t-il, nous visons à devenir la personne que nous sommes appelés à être; en effet, la méditation ne s'occupe pas de *faire*, mais d'*être*. Ce qui fait écho au mot de Saint Clément d'Alexandrie (150-211) : « Qui se connaît connaît Dieu. »

Maître Eckhart (1260-1327), ce grand maître spirituel du Moyen Âge, constate lui aussi que connaissance de Dieu et connaissance de soi vont de pair. Nous ne pouvons connaître Dieu, écrit-il, sans d'abord nous connaître, et nous ne pouvons nous connaître sans revenir au cœur humain. Dans *Un chemin de paradoxe. La vie spirituelle selon Maître*

Eckhart, Cyprian Smith expose ainsi la pensée du célèbre dominicain sur la question:

> La réalité sublime et merveilleuse, que nous appelons « Dieu », doit être cherchée d'abord et avant tout dans le cœur de l'homme. Si nous ne la trouvons pas là, nous ne la trouverons nulle part ailleurs. Si nous la trouvons là, nous ne pourrons jamais la perdre. Où que nous nous tournions, nous verrons son visage (p. 13).

Ce à quoi nous nous nous employons dans la méditation : nous sommes à la recherche de Dieu dans notre cœur et, où que nous nous tournions (dans notre vie de tous les jours), nous voyons son visage.

Une prière trinitaire

Une des causeries de John Main, publiée dans *Being On The Way*, explicite sa pensée sur la méditation :

> La prière de Jésus est comme un torrent impétueux qui court entre Jésus et le Père. Nous n'avons qu'à nous y plonger et nous laisser emporter. C'est un torrent d'amour, pas un torrent de mots, et c'est pourquoi il nous faut apprendre à rester totalement silencieux.

La prière chrétienne est participation à la prière du Christ, à la vie, à la vie pascale de l'humanité glorieuse du Christ; elle est marche à la suite du Fils jusqu'au Père. L'Évangile de Jean ne traite que d'un Christ intérieur : « C'est le Père qui, demeurant en moi [...]. Moi et le Père nous sommes un. [...] Celui qui m'a vu a vu le Père. [...] Ne crois-tu pas que je suis dans le Père et que le Père est en moi? » (*Jn* 14,10; 10,30; 14,9-10). « Si quelqu'un m'aime, il observera ma parole, et mon Père l'aimera; nous viendrons à lui et nous établirons chez lui notre demeure » (*Jn* 14,23). Méditer est avoir part à cet amour que s'échangent les personnes de la Trinité.

Dans son petit livre intitulé *What Is Contemplation?*, Thomas Merton (1915-1968) fait valoir que la promesse de Jésus, suivant laquelle le Père et lui viendront habiter avec nous, « est essentiellement la béatitude que goûte le saint dans les cieux ».

Il nous faut comprendre que la prière de la Trinité est déjà présente en nous; la réalité du Royaume est déjà présente dans le centre de notre être. Il suffit tout bonnement que nous prenions conscience de cette réalité. L'une des plus grandes trinitaires, Julienne de Norwich (1342-1416), vient en ce sens à notre aide : « là où Jésus paraît, affirme-t-elle, la sainte Trinité est comprise ».

Saint Irénée (né entre 120 et 140) expose autrement la prière trinitaire. L'Esprit, dit-il, vient s'emparer de nous pour nous remettre au Fils, et le Fils nous remet au Père. Quelle que soit la manière dont nous l'entendions, la méditation se révèle être fondamentalement la vie silencieuse de la Trinité qui prie en nous.

Moine et brièvement évêque de Ninive au VIIe siècle, Isaac le Syrien écrit :

> Lorsque l'Esprit établit sa demeure dans un homme, celui-ci ne peut plus s'arrêter de prier, car l'Esprit ne cesse pas de prier en lui. Qu'il dorme, qu'il veille, la prière ne se sépare pas de son âme. Tandis qu'il mange, qu'il boit, qu'il est couché, qu'il se livre au travail, qu'il est plongé

dans le sommeil, le parfum de la prière s'exhale spontanément de son cœur. [...] Les mouvements de l'intellect purifié sont des voix muettes qui chantent dans le secret de cette psalmodie à l'Invisible (*Petite philocalie de la prière du cœur*, p. 82).

Se renoncer et laisser agir Dieu

« Se renoncer » décrit bien le processus par lequel nous passons sur le chemin de la méditation. Non seulement nous efforçons-nous de renoncer aux mots, aux pensées et aux images, mais nous nous efforçons aussi de renoncer à nos soucis, à nos craintes et à nos angoisses pendant nos moments de méditation. Nous renonçons même à toute velléité de faire advenir le silence. Cela veut dire aussi que nous renonçons à « tout objectif ». (Sur la nécessité de *ne pas* mesurer ses progrès dans la méditation, voir le chapitre 13).

Nous devons également renoncer aux résultats instantanés. On a dit que nous vivions dans une société de « résultats instantanés » : depuis le café instant, la livraison le jour même, jusqu'au désir de savoir sur-le-champ si nous avons gagné à la loterie. Notre société est orientée vers l'accomplissement et la réussite. Nous sommes obsédé par l'atteinte d'objectifs, la concrétisation de résultats immédiats, la réussite.

Le philosophe chinois de la spiritualité Tchouang-Tseu (369-286 avant J.-C.) signale le danger des « résultats » dans son poème intitulé « Le besoin de gagner », traduit en anglais par Thomas Merton, au siècle dernier.

> Quand l'archer tire pour un rien
> Il maîtrise son art.

S'il tire pour une boucle de laiton
Il est déjà nerveux.
S'il tire pour de l'or en prix
Il devient aveugle
Ou voit deux cibles —
Il n'a plus sa raison!
Son art est inchangé.
Mais le prix le divise. Il est préoccupé.
Il pense davantage au gain
Qu'au tir —
Et le besoin de gagner
Épuise son talent.

Voilà pourquoi John Main réitère souvent l'importance, sur le chemin de la méditation, de « renoncer » aux attentes, aux buts, aux résultats, voire au « succès ».

Un prêtre avide de résultats vint un jour à John Main et lui dit : « Je médite depuis maintenant sept ans, combien de temps me faudra-t-il encore pour parvenir à un certain silence? » Le regard pétillant, le père John lui répondit : « Vingt ans. » En relatant cette anecdote, le prêtre ajoutait : « Pensez donc, il ne me reste plus que treize ans à attendre. » La leçon de cette histoire? Il nous faut avoir la foi de l'enfant et nous défaire de notre adulte et égoïste obsession de buts et d'objectifs à atteindre. La méditation est en réalité tout juste l'opposé. Elle est renoncement à nos obsessions égoïstes, renoncement à « tout objectif ».

Renoncer, c'est aussi nous libérer de nos attachements désordonnés. Nous renonçons à nos attachements soit dans la mort, soit dans le silence de la méditation. Ce processus — et c'est la grande joie du méditant — peut s'enclencher avant la mort si nous commençons à « renoncer » dans notre vie quotidienne et dans nos moments de méditation : renoncer à tout ce à quoi nous nous accrochons, à tous nos attachements. Il nous faut renoncer à toute espèce de sécurité, à notre attachement à la santé, aux possessions matérielles, à la réputation, à tout. Nous nous mettons en route et il faut voyager sans s'encombrer. C'est ce qu'entend Jésus quand il dit à ses disciples : « Ne vous procurez ni or, ni argent, ni monnaie à mettre dans vos ceintures, ni sac pour la route, ni deux tuniques, ni sandales ni bâton » (*Mt* 10,9-10).

Et voici ce que dit saint Jean de la Croix sur le détachement et le « renoncement » :

> Pour arriver à goûter tout,
>   veillez n'avoir goût en rien.
> Pour arriver à savoir tout,
>   veillez à ne rien savoir de rien.
> Pour arriver à posséder tout,
>   veillez à ne posséder quoi que ce soit
>   de rien.
> Pour arriver à être tout,
>   veillez à n'être rien en rien.

(*La montée du Carmel*,
dans *Œuvres spirituelles*, p. 86)

Qu'entend par là Jean de la Croix ? En Dieu nous possédons toute chose mais, pour posséder Dieu, nous devons nous dépouiller de tout ce qui est moins que Dieu. Nous devons nous dépouiller de tous nos *désirs* et, cela fait, tout nous sera donné. « Renoncer » nous libère de tous les désirs qui ne sont pas centrés en Dieu. Ce que voulait dire Jean Cassien par la « non-possessivité », ou la « pauvreté d'esprit » (voir le développement sur Jean Cassien au chapitre 8).

Ailleurs encore, dans son poème « Cantiques de l'âme », Jean de la Croix exprime avec justesse ce « renoncement » :

> Je restai là et m'oubliai,
> Le visage penché sur le Bien-Aimé.
> Tout cessa pour moi, et je m'abandonnai à lui.
> Je lui confiai tous mes soucis
> Et m'oubliai au milieu des lis.

(*La nuit obscure*, dans Œuvres *spirituelles*, p. 478)

Chapitre 2

Pourquoi méditer?

Il est très difficile de déterminer ce qui pousse à méditer. Cela m'intrigue depuis toujours. Il y a tant de raisons, semble-t-il, pour lesquelles les gens se mettent à méditer. Mais je pense qu'ils persistent à méditer pour un seul motif. Et nous pourrions, me semble-t-il, le décrire comme une adhésion grandissante à la réalité.

En Dieu, nous sommes, nous nous savons aimables et aimés. Telle est la réalité suprême que Jésus est venu révéler, communiquer, vivre et établir. Elle s'établit dans notre cœur, à la seule condition que nous y soyons ouverts. La méditation ne consiste en rien d'autre que cette ouverture. C'est uniquement par et avec cet amour que nous pouvons, comme il convient, nous comprendre nous-mêmes et comprendre toute la création. Sans enracinement dans l'amour, nous ne pourrons voir que des ombres et des fantômes et ne serons jamais capables d'entrer en relation avec eux parce qu'ils n'auront pas de réalité.

La méditation est une invitation à cheminer au plus intime de votre cœur, de votre être. La sagesse de la tradition nous apprend que seules une expérience et une vision d'une telle profondeur permettent de vivre en réelle harmonie avec ce qui est.

La finalité de notre méditation? Qu'il n'y ait en nous que la réalité, sans rien de faux. Que l'amour. Que Dieu.

(John Main, *The Way of Unknowing*)

L a méditation fait fond sur un simple principe, à savoir que notre intelligence *finie* ne peut saisir *l'infinité* de Dieu. La théologie, la philosophie ou toute autre forme de connaissance ne nous disent que des choses *sur* Dieu. Elles ne nous introduisent pas dans l'expérience de Dieu lui-même. Dieu ne se laisse tout simplement pas saisir ni connaître par les sens. Les sens ont partie liée avec le monde de l'espace et du temps, et Dieu est au-delà de l'espace et du temps. Si nous délaissons les mots, les images et les idées, nous pouvons toutefois parvenir en silence à l'amour et à la connaissance intuitive de Dieu.

La pratique de la méditation chrétienne tire son origine et son sens du cœur humain. Si nous n'y trouvons pas Dieu, nous ne le trouverons pas ailleurs.

Comment donc trouver Dieu dans le cœur humain? La discipline spirituelle de la méditation quotidienne est une réponse à cette question. Le regretté moine bénédictin Bede Griffiths (1907-1993) disait jadis que « méditer est se mettre en quête de Dieu dans l'immobilité, au-delà des mots ou de la pensée ». La méditation est une façon d'accéder à l'impétueux courant d'amour à l'intérieur de notre cœur, disait John Main, et le silence auquel chacun de nous est invité à se rallier est le silence éternel de Dieu. Ce silence, insistait John Main, chacun de nous peut le trouver en lui-même.

Par conséquent, la méditation répond essentiellement à notre désir et à notre besoin innés de Dieu : nous sommes au service de Dieu, nous prêtons l'oreille à Dieu, nous sommes ouverts à Dieu. Nous nous jetons dans les bras de Dieu. Nous découvrons ensuite que le royaume de Dieu est, de fait, en nous. Et comme l'écrivait saint Augustin : « Tu nous a faits pour toi et notre cœur est sans repos jusqu'à temps qu'il repose en toi » (*Confessions* I, 1, p. 19).

La méditation n'est rien de moins que la transformation de notre cœur, comme s'en fait l'écho Kallistos Ware dans ce commentaire d'un aphorisme attribué à un Père du désert : « S'il n'y a pas un lieu de paix au centre de la tempête, si l'homme, pris dans ses multiples activités, ne préserve pas une chambre secrète dans son cœur où se tenir seul devant Dieu, il perdra tout sens d'une direction spirituelle et se désintégrera » (« L'hésychia et le silence dans la prière », dans *Le royaume intérieur*, p. 97). Lorsque nous méditons, nous nous retirons dans ce lieu secret, ce « lieu de paix au centre ». Et, dans cette paix où nous nous tournons vers Dieu, jaillit la vie de l'Esprit qui nous transmue en amour. Nous, chrétiens, nous méditons pour accueillir la naissance du Christ au-dedans de nous.

Henry Wadsworth Longfellow (1807-1882) évoque ainsi cette ouverture à Dieu dans le silence :

> Peinons donc à la paix intérieure —
> La guérison, la paix intérieures :
> Ce parfait silence où lèvres et cœur
> Se sont tus, où ne se nourrissent plus
> Les pensées imparfaites, les vaines
> opinions,

Où Dieu seul parle en nous, où nous
	attendons,
Le cœur unifié, de pouvoir connaître
Sa volonté et, l'esprit silencieux,
De pouvoir ne faire que sa volonté.

Pourquoi méditons-nous? Parce que, dans la méditation, Dieu travaille en profondeur notre âme. Sur ce chemin spirituel, il purifie notre âme de ses manquements et imperfections, il nous sanctifie et fait grandir en nous sa vie divine. Il agit de la sorte en nous parce que nous nous sommes mis entièrement à sa disposition, sans nous interposer. Nous le laissons complètement libre d'accomplir son œuvre. Dieu est le musicien, nous sommes ses instruments. Nous sommes à sa disposition et Dieu joue sur nous toutes les mélodies qu'il souhaite. Cela n'a toutefois rien à voir avec la simple passivité. S'ouvrir à la musique divine exige une totale acceptation de soi.

Pourquoi méditons-nous? Parce que, dans la méditation, les fruits de la prière se manifestent presque instantanément dans notre vie et, si nous persévérons sur le chemin de la méditation, l'amour de Dieu se déverse dans notre vie comme l'eau d'un réservoir. Parmi les fruits de la prière, que saint Paul appelle « le fruit » de l'Esprit, figurent « amour, joie, paix, patience, bonté, bienveillance, foi, douceur, maîtrise de soi » (*Ga* 5,22-24). Cet amour se répand de mille manières dans notre vie. Mais John Main nous rappelle le danger de nous griser de mots. Tout ce qui importe est de nous plonger quotidiennement dans cette expérience même, avec fidélité et sans réserve. Cette expérience en soi nous en apprendra davantage sur les raisons de méditer.

Chapitre 3

Comment méditer?

Assoyez-vous. Restez immobile et le dos droit. Fermez légèrement les yeux. Restez assis, détendu, mais alerte. Silencieusement, commencez à dire intérieurement un seul mot. Nous recommandons le mot-prière « maranatha ». Récitez-en les quatre syllabes en accordant à chacune une égale longueur. Écoutez-le tout en le disant doucement, mais continuellement. Ne pensez à rien, n'imaginez rien — de spirituel ou de quelque autre nature. Les pensées ou les images qui vous viennent pendant la méditation ne sont que des distractions; revenez donc simplement chaque fois à la récitation du mot. Méditez matin et soir, de vingt à trente minutes.

(John Main, *The Way of Unknowing*)

L a plupart des nouveaux venus à la méditation chrétienne s'étonnent de sa *simplicité*. John Main soulignait d'ailleurs toujours comme il est simple d'entrer dans l'*expérience* de la méditation.

Lorsque nous commençons à méditer, il est bon d'être attentifs à notre respiration. Laissez votre respiration devenir plus lente et régulière et, comme le dit John Main, commencez intérieurement à réciter un seul mot. Il recommande l'antique prière chrétienne : « Maranatha ». Récitez-la, comme il le suggère, en détachant également chacune des quatre syllabes : ma-ra-na-tha. Écoutez-la tout en la disant doucement, mais continuellement. Maranatha signifie : « Viens, Seigneur Jésus! ». Maranatha est un mot araméen, la langue que parlait Jésus. Saint Paul termine, pour ainsi dire, la première épître aux Corinthiens par ce mot-prière qui clôt presque également l'Apocalypse de saint Jean. C'est l'une des plus anciennes prières chrétiennes. Les premiers chrétiens s'en servaient comme d'un mot de passe pour être admis, nous disent les exégètes de la Bible, dans les maisons où l'on célébrait l'Eucharistie.

Dans la méditation, nous ne pensons à rien de spirituel ou de quelque autre nature, nous n'imaginons rien. Les pensées et les images qui nous viennent pendant la méditation, même les pieuses pensées, ne sont que des distractions; aussi reprenons-nous simplement chaque fois la récitation de notre mot. « La méditation n'est pas ce que vous pensez », ai-je déjà vu sur un t-shirt. « Il [Dieu] peut bien être aimé, mais pensé non pas, lit-on dans *Le nuage d'inconnaissance* (p. 35-36). L'amour le peut atteindre et retenir, mais jamais la pensée. »

John Main recommande de méditer matin et soir, de vingt à trente minutes (vingt minutes pour les débutants), préférablement avant et après les heures de travail. Il vaut mieux méditer avant le repas.

Dans la méditation, nous ne réfléchissons pas au sens de notre mot en le récitant. Au XIVᵉ siècle, l'auteur de l'ouvrage *Le nuage d'inconnaissance* est catégorique à ce propos :

> Si ta raison commence à analyser le sens et les connotations de ce petit mot, rappelle-toi que sa valeur tient à sa simplicité. Fais ainsi et je t'assure que ces pensées se dissiperont [...].

> Il suffit de concentrer ton attention sur un simple mot [...] et, sans intervention de la pensée analytique, permets-toi d'expérimenter de première main la réalité dont il est le signe. Ne recours pas à la logique subtile pour disséquer ce mot ou pour te l'expliquer, et ne te permets pas non plus de spéculer sur ses ramifications [...]. Raisonner n'a jamais été, à ce que je sache, de quelque secours dans l'œuvre de contemplation*.

En récitant notre mot, il nous suffit d'en écouter simplement les sonorités. Nous désirons aller au-delà des pensées. L'écouter comme une succession de sons favorise la concentration. Nous nous efforçons de garder le corps aussi immobile que possible. Nous sommes corps, âme et esprit, et l'immobilité du corps aidera à imposer silence à l'intellect. Il y a ici, bien entendu, un paradoxe. Le silence de l'intellect aidera également à garder le corps immobile.

Méditer est la simplicité même. Nous nous maintenons attentifs et alertes pendant toute la durée de la prière. Comme l'exprime un Père du IVᵉ siècle, « nous nous centrons nous-mêmes et nous concentrons sur

---

*   Nous traduisons (NdT).

un Dieu que nous ne voyons pas, que nous n'entendons pas, mais dont nous acceptons parfaitement la présence agissante ». Ici la foi intervient dans notre prière.

Difficile de croire que méditer est réellement aussi simple qu'il y paraît. Nous sommes tentés de tout compliquer. Mais à mesure qu'on avance sur ce chemin, la méditation devient plus simple. Le jour où le mantra aura pris racine en nous, le dire nécessitera de moins en moins d'effort parce que nous pénétrerons des strates de silence de plus en plus profondes.

Si nous nous soucions de ce que nous *ressentons* pendant la méditation, nous allons au devant d'une déconvenue. « Mauvaise » méditation et « bonne » méditation sont des vues de l'esprit. Restez indifférents à ce qui se passe dans les moments de méditation. Dieu ne nous juge pas sur la manière dont nous récitons le mantra, mais sur notre générosité, sur notre foi, sur notre reddition à sa présence qui nous habite. Dans la méditation, nous voulons quitter la *tête* pour le *cœur*.

Nous ne devrions pas évaluer nos progrès comme méditants. Soyons néanmoins assurés que la méditation transmuera graduellement notre vie en amour si nous persévérons. Par-dessus tout, nous ne devrions pas mesurer nos progrès à l'aune de ce qui survient pendant les moments passés en méditation. Parfois nous serons silencieux; d'autres fois, il nous arrivera d'être follement distraits. Si vous voulez évaluer vos progrès, portez votre attention sur les manifestations, dans votre vie quotidienne, de la transmutation en amour qui s'opère en vous.

Le plus important, en ce qui a trait à la récitation du mantra, est de s'y adonner sans précipitation, calmement, sans aucune tension. Bien des commençants découvrent, à mesure qu'ils méditent, que leur mantra se synchronise avec leur respiration. Ce qui est susceptible de calmer l'intellect. Avec son humour irlandais, John Main a le mot de la fin en matière de respiration : « Quant à la respiration, dit-il, la règle est simplement de respirer. Pas la peine de vous énerver en vous demandant s'il faut inspirer ou expirer. Inspirez *et* expirez » (*Le chemin de la méditation*, p. 163).

La méditation nous enseigne qu'*être* est plus important que *faire*. Le *cœur* est plus important que la *raison*. Notre rôle? Nous satisfaire d'accueillir amoureusement et sereinement Dieu, sans souci, sans désir de goûter Dieu, de s'y accrocher ni de le posséder. Nous nous contentons simplement d'être à l'écoute, de veiller et d'attendre, même si rien, semble-t-il, ne se produit. Au jardin de Gethsémani, Jésus a dit à ses disciples : « Ainsi vous n'avez pas eu la force de veiller une heure avec moi! » (*Mt* 26,40). Dans nos périodes de méditation quotidiennes, nous veillons de fait avec Jésus. Dans la méditation, nous nous rendons à Dieu, nous nous en remettons simplement à lui.

La méditation nous met au défi de surmonter notre égocentrisme. Pouvons-nous méditer sans nous inquiéter du lieu où Dieu nous guide? Pouvons-nous méditer fidèlement quand des distractions nous assaillent? Pouvons-nous méditer quand il ne « se produit » rien dans la méditation? Pouvons-nous nous défaire de notre désir de posséder Dieu, nous dépouiller de tout désir de consolation spirituelle dans la méditation?

La pratique quotidienne de la méditation est aussi une discipline spirituelle. Sur la prière contemplative, qu'on appelle aussi oraison, on lit dans le *Catéchisme de l'Église catholique* :

> Le choix *du temps et de la durée de l'oraison* relève d'une volonté déterminée, révélatrice des secrets du cœur. On ne fait pas oraison quand on a le temps : on prend le temps d'être pour le Seigneur, avec la ferme détermination de ne pas le Lui reprendre en cours de route, quelles que soient les épreuves et la sécheresse de la rencontre. [...] Le cœur est le lieu de la recherche et de la rencontre, dans la pauvreté et dans la foi. (2710)

Dans la méditation, foi, fidélité, zèle, persévérance et patience sont les ingrédients les plus importants. Il faut être indulgents avec nous-mêmes. Nous devons tenter de nous renoncer, de nous abandonner devant un Dieu que nous ne voyons pas, mais dont nous admettons sans réserve la présence. Nous nous tenons devant le Seigneur et nous attendons. Comme le père John ne se lassait jamais de le dire : « Méditer peut se résumer en trois mots : dites votre mantra ».

Dans l'Évangile, le Seigneur parle aussi d'un grain de moutarde (ou de sénevé) comme d'un symbole de l'amour divin. C'est la plus petite des semences; pourtant, grâce à son énorme potentiel de croissance, elle devient l'arbre le plus haut qui soit. Dans la méditation, la répétition du mantra — cette petite semence d'amour divin — a la faculté de croître en nous et de nous transformer.

Enfin, la méditation est un sentier de foi pure. Rien de plus. Il suffit simplement, chaque jour, de mettre en pratique cette foi.

Chapitre 4

La faim de silence dans la prière

La méditation, ce n'est pas un temps pour les paroles, aussi belles et sincères soient-elles. Toutes nos paroles perdent leur raison d'être quand nous entrons dans cette communion profonde et mystérieuse avec [...] Dieu. [...] Pour entrer dans cette mystérieuse et sainte communion avec la Parole de Dieu en nous, nous devons trouver le courage de devenir de plus en plus silencieux. Dans un profond silence créateur, notre rencontre avec Dieu transcende toutes nos capacités de raisonnement et de parole. [...] La douloureuse découverte de nos propres limites nous mène à un silence qui exige que nous soyons attentifs, concentrés et présents, plutôt que pensifs.

(John Main, *Un mot dans le silence, un mot pour méditer*, p. 21)

L'âme humaine a absolument besoin du silence pour s'épanouir vraiment, et pas seulement pour s'épanouir, mais pour être créatrice, pour réagir de façon créatrice à la vie, à l'environnement, aux amis. Parce que le silence fournit à l'âme de l'espace pour respirer, de l'espace pour être. Dans le silence, nul besoin de se justifier soi-même, de s'excuser d'être

tel qu'on est, de tenter d'impressionner quiconque.
Il suffit d'être, et c'est une expérience des plus
merveilleuses à vivre. Et le plus miraculeux dans
cette expérience, c'est qu'on est complètement libre.
On ne cherche pas à jouer un rôle, on ne cherche
pas à répondre aux attentes de personne.

(John Main, *Word Into Silence*)

De grandes choses se produisent, semble-t-il, dans le silence. La première nuit de Noël, Jésus est venu à Marie, au monde et à nous tous dans le silence et la paix nocturnes. L'office divin dans l'octave de la Nativité comporte ces versets : « Un silence paisible enveloppait tous les êtres et la nuit était au milieu de sa course; alors ta Parole toute-puissante quitt[a] les cieux et le trône royal » (*Sg* 18,14-15). L'un des cantiques de Noël les plus fameux commence par ces mots : « Sainte nuit, ô nuit *de paix* ». Dieu vient *encore* à nous dans le silence, dit John Main, mais il vient aujourd'hui à nous sur une base quotidienne, dans le silence de nos moments de méditation.

Nous vivons en un temps de frénésie. La télé et la radio nous bombardent de leurs émissions. En ce début de XXIe siècle, les distractions nous sollicitent de toutes parts. Nous encombrons notre existence de deux fois plus de bruits et d'activités que nos ancêtres, affirment les anthropologues. Notre société carbure à l'activité, à la productivité, à la vitesse, à la réussite matérielle et au bruit. La dimension contemplative de la vie nous échappe et nous en payons le prix. Le bruit couvre la voix de Dieu. Comme Jésus et les apôtres, qui se retiraient souvent en un lieu solitaire, nous devons nous aussi nous retirer dans le silence intérieur de notre âme. En ce sens, le silence est une nécessité à la fois psychologique et spirituelle.

Dans une lettre à une carmélite (Mère Éléonore-Baptiste), Jean de la Croix écrit : « Ce qu'il y a de plus nécessaire pour nous, c'est de faire taire devant ce grand Dieu nos tendances et notre langue, car le langage qu'il se plaît à entendre est seulement le silence de l'amour » (*Œuvres spirituelles*, p. 1061). Et un grand maître spirituel de l'Inde, Meher Baba (1895-1935), dit :

> L'intelligence prompte est malade
> L'intelligence lente est sensée
> L'intelligence immobile est divine.

Le poète saint Jean de la Croix décrit lui aussi avec justesse cette paix :

> Par une nuit profonde,
> Étant pleine d'angoisse et enflammée
>   d'amour
> Oh! l'heureux sort!
> Je sortis sans être vue
> Tandis que ma demeure était déjà
>   en paix.

> (« Cantiques de l'âme »,
> *Œuvres spirituelles*, p. 477)

Et le philosophe danois Sören Kierkegaard (1813-1854) évoque le besoin de silence dans *La maladie mortelle est le désespoir* :

> Le monde dans son état présent et la vie dans sa totalité sont gangrenés. Si j'étais médecin et si on me demandait mon avis, je répondrais : Faites silence! Amenez les hommes au silence. Impos-

sible d'entendre la Parole de Dieu dans le monde turbulent d'aujourd'hui. Et si on la proclamait avec la panoplie complète des sons, de telle manière qu'on pût la distinguer au milieu de tous les autres bruits, elle ne serait plus alors la Parole de Dieu. Par conséquent, faites silence*.

Les nombreuses fois que Jésus s'est dérobé aux apôtres, il aurait passé la nuit en colloque silencieux avec son Père. Ce dont même on découvre un reflet dans l'amour humain. Les amants préfèrent souvent s'asseoir côte à côte en silence, parce qu'échanger des paroles ne saurait que troubler leur accord amoureux. L'amour unit par un lien qui se passe de mots et de pensées. Ce en quoi consiste la méditation, et c'est pourquoi le silence a tellement d'importance.

Dans *The Word of Silence*, Max Picard (1888-1965) développe cette comparaison:

Les mots des amants amplifient le silence. Ils ne servent qu'à rendre audible le silence. Seul l'amour peut amplifier le silence. [...] Les amants sont des conjurés du silence. Quand un homme parle à sa bien-aimée, elle écoute davantage le silence que les mots prononcés par son amant. « Tais-toi, semble-t-elle murmurer. Tais-toi, que je puisse entendre ».

Dans la méditation, nous atteignons à un état de conscience plus profond, au-delà des pensées, des mots, des images; ce lieu où l'Esprit travaille activement en nous — une fois l'âme, les sens et les émotions apaisés — nous l'appelons *silence*. La paix intérieure et l'écoute attentive dans ce silence sont une reddition

---

* Nous traduisons (NdT).

totale à Dieu au tréfonds de notre être. Le silence est la porte qui ouvre sur le royaume de Dieu en nous. Mais il faut nous rappeler que le silence du cœur est toujours un don, une grâce que nous ne pouvons gagner par nos efforts ou nos actes de volonté. Réciter notre mantra avec fidélité, avec persévérance, nous ouvrir ainsi à la possibilité de recevoir le don du silence, c'est là tout ce qui est en notre pouvoir.

Peut-être John Main a-t-il le mieux résumé le silence dans l'une de ses causeries : « Dans le silence, vous découvrez que vous êtes aimés, que vous êtes aimables. Chacun doit faire cette découverte dans sa vie pour pouvoir devenir pleinement lui-même, pleinement humain. »

Abhishiktananda (Henri Le Saux, 1910-1973), bénédictin français qui a passé la plus grande partie de sa vie en Inde comme *sannyasi* (saint homme) errant, écrivait un jour : « Les gens sont à l'affût d'idées, mais j'aimerais leur faire connaître que garder silence est ce dont ils ont besoin. L'Esprit se fait entendre seulement à ceux qui demeurent humblement dans le silence. » Le grand dominicain du Moyen Âge, Maître Eckhart, a peut-être formulé le plus lapidairement cette vérité: « Rien ne ressemble plus à Dieu dans l'immensité de l'univers que le silence. »

Chapitre 5

Vie et enseignements de John Main

Le père John Main entreprit donc son voyage spirituel à destination de la réalité mystérieuse de Dieu. Non par un futile effort d'analyse ou de mesure de ce qui éternellement échappe à notre entendement, mais en se laissant immerger totalement dans la vie de la Sainte Trinité, au centre de son moi en constante expansion.

En ce sens, John Main fut un chrétien d'esprit trinitaire; en d'autres mots, il s'était affranchi d'un moi créé, qu'il avait pleinement intégré et dont il s'était allègrement départi pour permettre au moi de Dieu, au commerce amoureux de la Sainte Trinité, d'advenir au centre de sa conscience. Là, il savait parfaitement qui il était. Il était éminemment présent à lui-même parce qu'il était totalement soumis à l'autre « en qui », comme le dit saint Paul, « nous avons la vie, le mouvement et l'être » (Ac 17,28).

(François C. Gerard [1924-1991],
John Main By Those Who Knew Him)

Les observations générales suivantes sur la vie de John Main s'inspirent de l'« Introduction » de Laurence Freeman à *John Main By Those Who Knew Him*.

Troisième enfant de David et Eileen Main, John Main est né à Londres le 21 janvier 1926. Son père, David Main, avait vu le jour à Ballinskelligs, dans le comté de Kerry, en Irlande. Le grand-père de John Main était venu d'Écosse s'installer en Irlande comme surintendant de la première station de télégraphie par câble transatlantique. John Main adorait Ballinskelligs où vivent encore des membres de sa famille. C'était sa *patrie*, un pays auquel il était lié par le sang et des racines ancestrales.

La famille Main était religieuse, profondément catholique, mais Eileen Main n'hésitait pas à passer outre à la prescription d'abstinence de viande le vendredi si de la bonne nourriture risquait autrement de se gâter. Enfants abandonnés, mères célibataires, épouses délaissées ou alcooliques n'étaient pas seulement bienvenus dans la maisonnée, on leur donnait souvent la chambre d'un membre de la famille qui, à son retour, était relégué au sofa du salon.

Dans sa jeunesse, John Main reçut des jésuites sa formation, fut membre de la Maîtrise de la cathédrale de Westminster, travailla ensuite à Londres comme journaliste, avant de rallier les services du renseignement en temps de guerre dans le Royal Corps of Signals, en Angleterre et en Belgique; il appartint aussi brièvement à la communauté des Chanoines réguliers et obtint finalement un diplôme en droit au Trinity College de Dublin.

La suite de ses aventures, qui le mèneraient en Orient, allait changer à jamais l'existence de John Main et celle de plusieurs d'entre nous. En 1954, il joignait les rangs du British Colonial Service et était affecté en Malaisie. L'automne même où il joignait le British Colonial Service, plusieurs pays de l'Empire britannique étaient en voie d'acquérir leur indépendance. John Main s'était engagé parce qu'il était impatient de jouer un rôle dans cette période historique cruciale.

Affecté en Malaisie, il étudia pourtant d'abord le chinois à la School of Oriental and African Studies de Londres. Il se souviendra de la devise inscrite au-dessus des portes lorsque, des années plus tard, il écrira sur la méditation. La devise se lisait comme suit : « Savoir est pouvoir » (Francis Bacon). John Main contestait cette prétention. Il écrira subséquemment : « L'amour est le seul *vrai* pouvoir. » En 1954, il assimilait néanmoins avidement de nouvelles connaissances pour se préparer à la tâche qui l'attendait.

Un jour, à Kuala Lumpur, on lui confia une mission manifestement routinière : remettre un message de bonne entente et une photographie à un moine hindou, Swami Satyananda, directeur d'un ashram et de l'école d'un orphelinat. John Main s'était imaginé qu'il expédierait sa mission et serait ensuite libre pendant le reste de la journée. En réalité, cette visite bouleversera sa vie et lui fera graduellement entrevoir sa véritable vocation.

Sa mission de bonne entente accomplie, John Main demanda au swami de lui exposer les fondements spirituels des nombreuses bonnes œuvres accomplies à l'orphelinat et à l'école. En quelques instants, il sut qu'il se trouvait en présence d'un saint homme, d'un maître, d'un homme de l'Esprit dont la foi s'exprimait dans l'amour et le service des autres. Voici ce qu'il en dira plus tard dans *La méditation chrétienne. Conférences de Gethsémani* :

> Sa sérénité et sa sagesse m'avaient fortement impressionné. [...] Puis il me demanda si je m'adonnais à la méditation. Je lui dis que je m'y essayais et, à sa demande, je lui décrivis brièvement ce qu'on appelle les Exercices Spirituels de saint Ignace [une méthode de méditation discursive qui met en œuvre la raison, la mémoire et l'imagination]. Il fit une brève pause et me fit délicatement remarquer que sa manière de méditer était fort différente. Pour le swami, la méditation avait pour but d'arriver à prendre conscience de l'Esprit universel qui habite au plus profond du cœur humain « [...], embrasse l'univers entier et, en silence, [...] aime tout. [...] » (p. 9).

La citation qui clôt l'intervention du swami est, faut-il le préciser, empruntée à d'anciens écrits indiens, les Upanishads.

John Main fut tellement remué par sa ferveur et sa piété qu'il demanda au swami de lui enseigner sa manière de méditer. Le swami acquiesça et l'invita à se présenter au centre de méditation une fois la semaine. À la première visite de John Main, le swami lui apprit comment méditer :

> Pour méditer, vous devez devenir intérieurement silencieux et calme. Vous devez vous concentrer. Notre tradition nous enseigne une voie par laquelle nous pouvons arriver à cette tranquillité, à cette concentration. Nous utilisons un *mot* que

nous appelons *mantra*. Pour méditer, vous devez choisir ce mot et le répéter avec foi, avec amour, et sans vous arrêter. Voilà en quoi consiste la méditation. Je n'ai vraiment rien d'autre à ajouter. Et maintenant, méditons. (*La méditation chrétienne. Conférences de Gethsémani*, p. 10)

Le swami fit cependant d'abord valoir à son jeune visiteur qu'il devait méditer selon sa foi chrétienne puisqu'il était chrétien; il l'aida aussi à choisir un mantra chrétien. Il insista également sur la nécessité de méditer deux fois par jour : matin et soir. Pendant dix-huit mois, le jeune Occidental médita avec le swami. John Main dut, à cette rencontre, le fait d'être initié au pèlerinage de la méditation et de découvrir ensuite la tradition chrétienne du mantra dans les pratiques des premiers Pères du désert.

Après trois années en Malaisie, John Main retourna en Irlande et au Trinity College, en 1956, pour y enseigner le droit. Puis, en 1959, à l'âge de 33 ans, il entrait à l'abbaye bénédictine de Ealing, dans la banlieue de Londres, en Angleterre.

Onze ans plus tard, John Main acceptait une invitation à devenir proviseur de la St Anselm's Abbey School de Washington (D.C.). Pendant son séjour à St Anselm's, il suggéra à un jeune homme réceptif de lire *Holy Wisdom* de Augustine Baker, un contemplatif bénédictin du XVIIᵉ siècle. La réaction du jeune homme fut si inespérément enthousiaste qu'elle incita John Main à relire ce classique de la spiritualité. L'ouvrage lui révéla les écrits de Jean Cassien, un moine du désert du IVᵉ siècle. (Sur Jean Cassien, voir le chapitre 8.)

Dans les écrits de Cassien, John Main découvrit le lien sur lequel il s'était si souvent interrogé. Ce qu'avait appris Cassien dans les déserts d'Égypte, John Main l'avait appris d'un moine hindou, trois ans avant de devenir bénédictin. Était commune aux deux enseignements la répétition d'un mot, ou d'un court verset, pour amener le méditant, dans la prière, au silence intérieur.

En 1974, John Main créait un premier groupe de méditation chrétienne au Ealing Abbey Prayer Centre de Londres. Et en 1977, à l'invitation de l'évêque montréalais Leonard Crowley, il fondait à Montréal un prieuré bénédictin dédié à l'enseignement et à la transmission de cette tradition de la méditation chrétienne. La Communauté mondiale de méditation chrétienne, basée à Londres, assure dans le monde entier la pérennité de l'œuvre maintenant devenue un « monastère sans murs ». (Sur le rôle de la Communauté mondiale de méditation chrétienne, voir le chapitre 21.)

Le père John avait toujours pressenti qu'il ne connaîtrait pas la vieillesse. Le matin du 30 décembre 1982, irradiant une aura de présence et de paix, entouré par sa communauté monastique bénédictine et par des méditants montréalais, il mourait d'un cancer. Mais il avait achevé sa mission : il laissait aux générations futures des enseignements complets sur la méditation.

L'influence de Skellig Michael

Le grand-père et, de fait, le père de John Main ont tous deux travaillé à la première station de télégraphie par câble transatlantique, à Ballinskelligs, dans le comté de Kerry, en Irlande. John fut donc profondément ému par la séquence d'ouverture de la série télévisée *Civilization*, produite par Kenneth Clark, où l'on aperçoit les îlots rocheux de Skellig qui se dressent majestueusement au-dessus de l'Atlantique, à sept milles au large de son bien-aimé Ballinskelligs.

Ballinskelligs a pu exercer une mystérieuse, mais secrète influence sur l'avenir de John Main. Au VIe siècle, des moines irlandais avaient construit un ermitage monastique sur le sommet de Skellig Michael et la vie monastique s'y est perpétuée pendant plus de six cents ans.

Une fascinante conjecture circule à propos de Skellig Michael. On crédite largement John Main de la reconnaissance et de la redécouverte des enseignements de Jean Cassien et des premiers Pères égyptiens du désert sur l'utilisation d'une brève locution dans la prière pour amener le méditant au silence intérieur. Or saint Benoît (480-550) fut profondément influencé par les enseignements de Cassien dont les écrits ont également joué un rôle déterminant dans la vie de John Main.

Venu en Provence, dans la Gaule antique, Cassien y transplanta de nouvelles traditions spirituelles inspirées des Pères du désert dans le dessein avoué de réformer le monachisme gaulois. Par le truchement de la Gaule et des monastères de Cassien, le monachisme a essaimé dans des établissements comme Skellig Michael, au large de la côte occidentale de l'Irlande. On peut lire dans *The New Catholic Encyclopedia* que, « par l'intermédiaire de la Gaule en particulier, naîtrait le premier monachisme irlandais ».

La tradition du « mantra », selon Jean Cassien et les Pères du désert, fut-elle importée de Gaule à Skellig Michael? John Main a-t-il jamais établi cette corrélation? Quelle que soit la réponse, l'hypothèse est fascinante : en effet, l'enseignement du mantra s'est transmis des déserts d'Égypte jusqu'en Gaule, puis à

Skellig Michael, en Irlande. John Main qui, pendant sa jeunesse vécut près de Skellig Michael, a redécouvert au XXe siècle cette ancienne tradition de la prière.

Chapitre 6

Les Écritures et la méditation

Rappelez-vous ces paroles de Jésus dans l'Évangile de Matthieu :

Le Royaume des cieux est comparable à un trésor qui était caché dans un champ et qu'un homme a découvert : il le cache à nouveau et, dans sa joie, il s'en va, met en vente tout ce qu'il a, et il achète ce champ. Le Royaume des cieux est encore comparable à un marchand qui cherchait des perles fines. Ayant trouvé une perle de grand prix, il s'en est allé vendre tout ce qu'il avait, et il l'a achetée.

(Mt 13,44-46)

Voilà le genre d'engagement nécessaire : l'engagement à méditer chaque jour et à dire le mantra du début à la fin de la méditation.

(John Main, Le chemin de la méditation, p. 65)

Il n'y a pas de demi-mesures. Impossible de [...] faire un peu de méditation. Il n'y a qu'une option : méditer et enraciner sa vie dans la réalité. [...] Dans la mesure de ma compréhension, tel est le sens de l'Évangile. C'est le sens de la prière chrétienne. S'engager à la vie, s'engager à la vie éternelle. Jésus enseigne que le royaume des cieux

est ici et maintenant. Il suffit d'y être ouvert, ce qui
veut dire d'y être engagé.

(John Main, *Le chemin de la méditation*, p. 64)

T ant dans l'Ancien Testament que dans le
Nouveau abondent les passages qui traitent du
silence dans la prière. John Main a toujours
mis une grande insistance à ancrer dans les Écritures
cette tradition du silence.

L'Ancien Testament invite à trouver Dieu dans le
silence. Le psalmiste clame : « Lâchez les armes! Reconnaissez que je suis Dieu! » (*Ps* 46,11) et Zacharie
dit : « Silence toute créature devant le Seigneur » (*Za*
2,17). Sans oublier le magnifique récit du prophète
Élie. Le Seigneur dit à Élie : « Sors et tiens-toi sur la
montagne devant le Seigneur; voici, le Seigneur va
passer » (*1 R* 19,11). Un vent fort et violent se lève,
mais le Seigneur n'est pas dans le vent. Survient un
terrible tremblement de terre, mais le Seigneur n'est
pas dans le tremblement de terre. Un feu s'embrase,
mais le Seigneur n'est pas dans le feu. Puis se manifestent une douce brise et le bruissement d'un souffle ténu,
et Dieu parle à Élie dans le silence.

Quelques passages et récits tirés du Nouveau
Testament entretiennent un rapport avec le cheminement intérieur propre à la méditation chrétienne.
D'abord ces paroles de Jésus, déjà citées au chapitre
premier, mais qui sont des plus pertinentes à notre cheminement de méditant : « Le Règne de Dieu ne vient
pas comme un fait observable. On ne dira pas : " Le

voici " ou " Le voilà ". En effet, le Règne de Dieu est [au-dedans de] vous » (*Lc* 17,20-21). La méditation chrétienne est un pèlerinage quotidien pour trouver en soi le Royaume.

John Main citait souvent ces mots de Jésus dans Matthieu :

> Et quand vous priez, ne soyez pas comme les hypocrites qui aiment faire leurs prières debout, dans les synagogues et les carrefours, afin d'être vus des hommes. En vérité, je vous le déclare : ils ont reçu leur récompense. Pour toi, quand tu veux prier, entre dans la chambre la plus retirée, verrouille ta porte et adresse ta prière à ton Père qui est là dans le secret. Et ton Père, qui voit dans le secret, te le rendra. (*Mt* 6,5-6)

La chambre secrète dont nous fermons la porte, dit John Main, c'est notre période de méditation quotidienne, c'est notre cœur. Cette chambre secrète est le centre profond de notre être, où l'action de Dieu échappe à notre perception consciente. Cette chambre secrète est le centre de notre âme où nous nous efforçons de parvenir par la discipline spirituelle de la méditation quotidienne.

Le père John répétait aussi souvent l'exhortation suivante de Jésus (*Mt* 6,7-8) : « Quand vous priez, ne rabâchez pas comme les païens; ils s'imaginent que c'est à force de paroles qu'ils se feront exaucer. *Ne* leur ressemblez donc *pas*, car votre Père sait ce dont vous avez besoin, avant que vous le lui le demandiez. » C'est un autre aspect important de la méditation. Dieu, qui sait tout et qui voit tout, connaît nos *vrais* besoins bien mieux que nous ne les connaissons. Cela signifie que, en l'espace de quelques secondes lorsque nous entamons notre méditation, nous pouvons présenter en silence, devant le Seigneur, toutes nos demandes pour nous-mêmes et pour les autres.

Dans l'Évangile de Marc, il est écrit que les apôtres se rassemblèrent un jour autour de Jésus pour lui rapporter tout ce qu'ils avaient fait et enseigné. Puis, comme beaucoup de gens allaient et venaient, écrit Marc, « eux [Jésus et les apôtres] n'avaient pas même le temps de manger (*Mc* 6,31) ». Tout juste avant, Jésus avait noté l'activité fébrile et dit aux Douze : « Vous autres, venez à l'écart dans un lieu désert ». Marc ajoute qu'ils s'éloignèrent sans lui dans une barque jusqu'en un lieu écarté. Combien de fois, dans les Évangiles, Jésus ne se retire-t-il pas en un lieu écarté?

La nécessité de nous soustraire chaque jour à l'activité trépidante et au vacarme pour trouver Dieu dans la chambre retirée de notre cœur est centrale en méditation.

La méditation a aussi beaucoup à voir avec une scène de la vie de Jésus rapportée dans l'Évangile de saint Matthieu :

> À cette heure-là, les disciples s'approchèrent de Jésus et lui dirent : « Qui donc est le plus grand dans le Royaume des cieux? » Appelant un enfant, il le plaça au milieu d'eux et dit : « En vérité, je vous le déclare, si vous ne changez et ne devenez comme les enfants, non, vous n'entrerez pas dans le Royaume des cieux. Celui-là donc qui se fera petit comme cet enfant, voilà le plus grand dans le Royaume des cieux. » (*Mt* 18,1-4)

Apprendre à méditer est devenir, non pas puéril, mais *semblable à un enfant*. Il faut nous défaire de la complexité de l'adulte et accepter la simplicité de dire notre mot sacré avec une foi d'enfant. Dans la méditation, nous nous débarrassons de notre prétention, de notre égocentrisme d'adulte. Nous revenons chaque jour à la docilité quasi enfantine du mantra. Nous laissons tomber les questions d'adulte comme « Cela m'apporte-t-il quelque chose? Cela me mène-t-il quelque part? Combien de temps cela me demandera-t-il? » Il nous faut, au contraire, avoir la confiance du petit enfant qui accepte tout avec une foi pure.

Dans cette concordance des Écritures et de la méditation, mentionnons enfin la scène de l'Évangile où Jésus rend visite à Marthe et Marie, deux sœurs vivant à Béthanie. Marthe est très occupée; elle s'active et se plaint probablement de ce que Marie ne l'aide pas. Jésus dit : « Marthe, Marthe, tu t'inquiètes et t'agites pour bien des choses. Une seule est nécessaire. C'est bien Marie qui a choisi la meilleure part; elle ne lui sera pas enlevée » (*Lc* 10,41-42). Et que fait Marie? Marie est simplement assise en silence devant le Seigneur. Exactement comme nous faisons en méditant. Marthe était probablement très affairée à préparer le repas. Les exégètes s'empressent évidemment de souligner que, si Marthe ne s'était pas affairée, aucun des trois n'aurait probablement mangé ce jour-là. Ce qu'il faut en retenir? Il y a un temps pour la prière et un temps pour préparer le repas. Je suis sûr que Marie a aidé aux tâches domestiques, après le départ de Jésus.

Autre rappel, s'il en était besoin, que chacun de nous porte en lui une dimension de vie contemplative et une dimension de vie active. Il est absurde de croire qu'existent des personnes dites « contemplatives » et d'autres dites « actives ». La vocation à la prière et la vocation à l'action fructueuse se conjuguent dans la vie de chacun. N'oublions pas cependant, j'y insiste, que Jésus a dit : « Marie a choisi la meilleure part ».

Chapitre 7

Le rôle de Marie sur le chemin de la contemplation

La pauvreté d'esprit est l'intuition chrétienne fondamentale qu'incarne Marie dans l'Évangile de Luc. C'est la pureté de cœur en ce que ne l'entache aucune intrusion de la volonté égoïste assoiffée d'expérience, qui ambitionne la sainteté, objective l'Esprit ou crée Dieu à son image. Marie révèle la simplicité foncière de la réponse chrétienne dans une pauvreté d'esprit qui consiste à se tourner radicalement vers Dieu et à tourner radicalement le dos au moi.

(John Main, *The Other-Centredness of Mary*)

M arie est vraiment le modèle et la mère de la vie contemplative, pour les chrétiens, parce qu'elle *est* essentiellement dépeinte dans l'Évangile comme un être de prière. Le secret de la fascination universelle qu'exerce Marie encore aujourd'hui, comme le disait John Main, tient à son intériorité et à son ouverture aux autres. Et il ajoutait :

« Marie incarne dans l'Évangile de Luc cette intuition chrétienne fondamentale : Marie révèle la simplicité foncière de la réponse chrétienne dans une pauvreté d'esprit qui consiste à se tourner radicalement vers Dieu et à tourner radicalement le dos au moi. »

La pauvreté d'esprit et le dos tourné au moi sont, bien sûr, au cœur de notre pratique de la méditation chrétienne. Comme Marie, nous devons perpétuellement nous efforcer de diriger loin du moi notre faculté d'attention. John Main note que l'ouverture aux autres de Marie la désigne comme notre modèle en tant que méditant.

On qualifie souvent la méditation chrétienne de « prière du cœur ». Marie a vécu toute sa vie dans son *cœur*. Saint Luc fait deux allusions au « cœur » de Marie dans son Évangile. À la nativité, Marie médite les mots des bergers : « Quant à Marie, elle conservait avec soin toutes ces choses, les méditant en son cœur » (*Lc* 2,19 : traduction *Bible de Jérusalem*). Et au moment où est retrouvé Jésus enfant au Temple, Luc écrit que « sa mère retenait tous ces événements dans son cœur » (*Lc* 2,51). Marie mesurait le pouvoir de l'Esprit à l'œuvre dans son cœur. Pas étonnant que sa vie fut une vie de contemplation.

Directeur de la revue de spiritualité *Monos*, le père Patrick Eastman observe que, dans sa *soumission* au moment de l'Annonciation,

Marie se tient paisible et silencieuse, entend la parole qui lui est adressée et consent à ce que la parole prenne chair en elle; puis Dieu souffle sur elle et ça y est. La parole se fait chair, vient apporter la guérison dans un monde brisé, et l'Église, comme Corps du Christ, est née. Si nous revenons maintenant à nos moments de prière, le même processus n'y est-il pas à l'œuvre? Nous sommes invités, par la grâce de Dieu, à rester immobiles et silencieux pour pouvoir entendre la parole qui nous est adressée. La prière devient alors silence et paix où nous nous soumettons à Dieu.

On appelle souvent Marie le «cœur obéissant d'Israël » et la « femme drapée de silence ». Mais le silence est nécessaire pour écouter, pour entendre. Le silence de Marie, dans son écoute, est silence de joie profonde : elle se réjouit en Dieu son sauveur (*Lc* 1,47).

Marie nous est présentée une dernière fois dans les Actes des Apôtres : elle est encore en prière avec les apôtres, dans la chambre haute, à Jérusalem, attendant la venue de l'Esprit (*Ac* 1,14). Peut-être est-ce là finalement son rôle auprès de ceux qui méditent : leur apporter l'Esprit dans le silence; faire naître Jésus dans leur cœur. Notre rôle, en méditation, est d'attendre dans le silence et la foi que se profère en nous la parole de Jésus.

Le *fiat* qu'il nous faut proférer sur le chemin de la méditation chrétienne est le même que le célèbre *fiat* de Marie : « Que tout se passe pour moi comme tu me l'as dit » (*Lc* 1,38). Dans la méditation, nous devons accueillir sans discriminer tout ce qui se présente : aussi bien le sentiment de la présence de Dieu que celui de son absence, les distractions, le silence — tout doit être intégralement accepté dans l'esprit du *fiat* marial.

Chapitre 8

Les racines historiques du silence dans la prière

De tout temps dans l'histoire du christianisme, des hommes et des femmes de prière ont rempli une mission spéciale en conduisant leurs contemporains, voire les générations suivantes, à la même illumination, à la même renaissance dans l'Esprit prêchées par Jésus.

Jean Cassien fut l'un de ces maîtres, au IVᵉ siècle; il peut revendiquer d'être l'un des plus influents maîtres de vie spirituelle en Occident. Son importance exceptionnelle, en tant que maître et inspirateur de saint Benoît et, par conséquent, de tout le monachisme occidental, découle de son rôle d'introducteur de la tradition spirituelle orientale dans l'expérience vivante de l'Occident.

(John Main, *Letters from the Heart*)

Cassien recommandait à toutes les personnes désireuses d'apprendre la prière continuelle de répéter sans cesse un simple et court verset. Dans sa « Dixième Conférence », il préconisait cette méthode de répétition, simple et constante, pour

chasser de notre esprit toute distraction et toute
pensée, et parvenir ainsi à un état de repos en Dieu.

(John Main, *Un mot dans le silence,*
un mot pour méditer, p. 24)

Jean Cassien, les Pères du désert et la tradition de la prière hésychaste

Le mot « hésychaste » dérive d'un mot grec qui signifie tranquillité ou paix. Il prend racine dans la tradition spirituelle des ermites du IVe siècle qui s'établirent dans le désert de Syrie, mais plus particulièrement dans les déserts d'Égypte. Il s'agit essentiellement d'une tradition contemplative fondée sur la prière constante et sur l'importance de l'inhabitation du Christ, de la présence du Christ dans l'âme. Les premiers moines du désert usaient d'une *formula*, ou formule : ils récitaient un court verset biblique pour parvenir au silence intérieur dans la prière. Le *mantra* est l'équivalent, de nos jours, de la *formula*. Nous sommes redevables à Jean Cassien et à Germain, son compagnon de vie monastique, pour la description de cette pratique de la prière à laquelle s'adonnaient les moines du désert.

Jean Cassien est né vers l'an 365 après Jésus Christ, dans ce qui est aujourd'hui la Croatie. Il apprit le latin et le grec, devint moine et fit le voyage jusqu'en Égypte pour rendre visite aux Pères du désert. Il passa les dernières années de sa vie dans ce qui est aujourd'hui Marseille, en France, où il fonda deux monastères (l'un pour les hommes, l'autre pour les femmes). À Marseille, l'évêque du lieu et des frères en monachisme pressèrent Cassien de les entretenir de ses années en Égypte, de la vie qu'on y menait, de ce qu'il y avait appris, des expériences qu'il y avait faites. Finalement, Cassien consigna tout ce qu'il avait appris sur la prière dans sa fameuse « Dixième conférence » sur la prière. L'abbé Cuthbert Butler, grand érudit bénédictin anglais, disait que ce traité sur la prière n'avait jamais été surpassé. On peut se procurer cette conférence en version intégrale dans la collection « Sources chrétiennes » ou, sous forme d'extraits, dans les collections « Spiritualités chrétiennes » et « Foi vivante – Les classiques » (voir la bibliographie).

Dans sa « Dixième conférence », Cassien rapporte par le menu détail une conversation entre deux disciples — Germain et lui — et l'un de leurs maîtres, Abba Isaac, un grand guide spirituel vivant au désert.

À leur première visite, Abba Isaac leur dit : ceux qui prient doivent garder leur esprit dans le silence et l'immobilité (« l'immobile tranquillité d'âme », lit-on dans les *Collationes*, p. 123). À leur deuxième visite, après qu'ils eurent *essayé* de prier en silence, Germain expose leur problème à Isaac. Ils voulaient prier de cette manière, dit-il, mais ils ont constaté que leur esprit s'égarait d'une idée ou d'une image à une autre, d'une distraction à une autre. Et Germain d'ajouter : « La cause de cette confusion est certaine. C'est que nous n'avons rien de déterminé […] à quoi nous puissions […] rappeler notre esprit vagabond […] » (p. 147).

Isaac est heureux d'entendre ces mots. Une telle perspicacité démontre à ses yeux que les deux jeunes hommes sont à mi-chemin de la solution. « Aussi je crois que je n'aurai pas beaucoup de peine, pour autant que le Seigneur me servira de guide, à vous introduire […] jusqu'au fond du sanctuaire » (p. 148), c'est-à-dire au cœur de la prière. Puis il leur enseigne à prier avec l'aide d'un mantra, d'un verset prière, ou de ce que Cassien appelle, dans le latin d'alors, une « formula ». Isaac les exhorte à répéter le verset du psaume : « Dieu, ne t'éloigne pas de moi, mon Dieu, viens vite à mon aide » (*Ps* 70,12). Il leur recommande de le répéter sans discontinuer jusqu'à ce qu'il s'enracine en leur être même. Ils doivent le répéter avec persévérance jusqu'à ce que « [l'âme] ait acquis la fermeté de refuser et rejeter loin de soi […] toutes sortes de pensées, […] restreinte ainsi à la pauvreté de cet humble verset » (p. 151). « Oui, dit Isaac, qu'il soit l'occupation continuelle de votre cœur » (p. 150).

Isaac relie en outre la pauvreté de ce simple verset à la béatitude « Heureux les pauvres de cœur : le Royaume des cieux est à eux » (*Mt* 5,3). Il recommande également à Cassien et Germain de répéter ce verset dans la prospérité comme dans l'adversité. De là nous vient la tradition de la récitation continuelle du mantra dans nos périodes de méditation quotidiennes.

Jean Cassien importa en Europe occidentale cet enseignement sur la prière. Il fut aussi le maître spirituel de saint Benoît. Le fondateur des bénédictins conseillait fortement la lecture assidue de Cassien dans les monastères qui avaient adopté sa règle. L'enseignement de Cassien sur la prière se répandit en Occident par l'entremise des communautés bénédictines. La Règle de saint Benoît stipule en outre que la prière en commun doit se distinguer par sa brièveté.

En Orient, cette forme de prière s'est propagée depuis les déserts d'Égypte jusqu'en Grèce, dans les contrées slavones et particulièrement en Russie où le mantra « Jésus » a poussé de profondes racines. Le livre intitulé *Les récits d'un pèlerin russe* est devenu un classique de la spiritualité russe; y est exposée à grands traits la récitation de la formule par un paysan russe qui parcourt le pays. La prière de Jésus s'est épanouie à partir de la formule et on la pratique beaucoup sur le mont Athos, une île de monastères orthodoxes sise au large de la Grèce. En fait, la prière de Jésus est devenue le fondement de la spiritualité orthodoxe orientale.

Pour une raison très importante, John Main suggéra néanmoins un mantra de substitution aux locutions bibliques comportant le nom de Jésus. Le mot « Jésus », avançait le père John, peut immédiatement inciter l'Occidental foncièrement cérébral à se représenter le Christ, de telle manière que son rapport avec lui se limite alors tout bonnement à penser au Christ. En méditation, nous cherchons plutôt à entrer, au-delà de toute réflexion sur Jésus, dans le silence — un silence où peut pleinement se réaliser notre union avec Jésus. Et pour cela, le père John recommandait le mantra araméen *maranatha*, mot d'une langue qui ne suscite en nous ni pensées ni images. On prendra toutefois note que *maranatha* signifie : « Viens, Seigneur (Jésus). » Ce qui marque, une fois de plus, un lien avec l'ancienne tradition de la prière de Jésus. Ceux qui pratiquent le mantra « Jésus », spécialement les orthodoxes, nient généralement éprouver la moindre difficulté avec la prière de Jésus du fait qu'elle se compose de mots de leur langue; ils soutiennent que sa simple récitation conduit effectivement au silence.

Cassien décrit en fait, en des termes chrétiens et avec des références aux Écritures, une discipline spirituelle *universelle* qui mène à l'unité et à l'intégration de tous les niveaux de conscience. L'école *hésychaste*, qui enseigne l'unité de l'intellect et du cœur dans la pratique de la prière silencieuse, est le pur reflet de cette tradition. La récitation continuelle du mantra ancre le verset ou le mot dans le cœur et mène ainsi graduellement à l'état de prière permanente que prescrivent le Christ (*Lc* 18,1) et saint Paul (*1 Th* 5,17). En écartant les « richesses et amples avoirs de toutes sortes de pensées » (Cassien, p. 151), le mantra conduit à la pauvreté d'esprit, cet état de renoncement, de non-possession radicale susceptible de s'appliquer ensuite non seulement à ce que nous avons ou faisons, mais même à ce que nous sommes : le Seigneur ne demande-t-il pas à chacun de ses disciples qu'il « se renie lui-même » et « renonce […] à tout ce qui lui appartient » (*Lc* 9,23; 14,33)?

Un survol de la pratique de la « formula », maintenant appelée prière de Jésus, montre que la pratique de la méditation chrétienne puise aux mêmes racines spirituelles et à la même tradition du désert. La tradition de la formule — aussi bien du mantra « Jésus » que du mantra « maranatha » — découle d'une même forme de prière silencieuse et incessante, pratiquée par les premiers moines du désert. On répète tous ces mantras pour garder l'intellect et le cœur attentifs à la présence de Dieu. La prière de Jésus se centre dans le cœur.

L'évêque Théophane le Reclus (1815-1894) disait : « La chose principale, c'est de demeurer devant Dieu […] sans cesse, jour et nuit, jusqu'à la fin de sa vie » (Chariton de Valamo, *L'art de la prière*, p. 64). John Main recommande qu'on fasse résonner et s'imprimer dans le cœur le mantra « maranatha ». L'une et l'autre manières insistent sur l'importante participation de toute la personne — corps, âme et esprit.

Ceux qui s'adonnent à la prière de Jésus disent qu'elle a le pouvoir de restaurer l'harmonie et l'unité par l'intégration de l'intellect et du cœur. John Main affirme que le mantra « maranatha » possède le même pouvoir d'intégration. Le mantra, écrit-il dans *Un mot dans le silence, un mot pour méditer*, « est comme une harmonique qui résonne dans les profondeurs de notre esprit [intellect], nous apportant un sentiment toujours plus profond de notre plénitude et de notre harmonie intérieures » (p. 30-31).

Sous tous leurs aspects essentiels, exception faite du mantra lui-même, les similarités entre la « formula » de Cassien, la prière de Jésus et le « mantra » de John Main sont des expressions de la forme de prière la plus fervente dans la tradition chrétienne.

La filière anglaise : *Le nuage d'inconnaissance*

L'ouvrage classique de spiritualité anglaise, *Le nuage d'inconnaissance*, est important en ce qu'il témoigne d'une continuité dans les enseignements sur la prière silencieuse, depuis Jean Cassien (IVe siècle) jusqu'à John Main (XXe siècle), continuité qui passe par l'auteur anonyme du *Nuage* au XIVe siècle. Les trois maîtres dispensent les mêmes enseignements essentiels.

Le thème central du *Nuage*? Dieu échappe à l'entendement humain; seule la silencieuse prière d'amour peut pénétrer « le nuage d'inconnaissance ». Dieu se cache dans le nuage d'inconnaissance. L'auteur emprunte cette image au livre de l'Exode où les Israélites au désert sont guidés, le jour par un nuage, la nuit par une colonne de feu. En outre, à la Transfiguration, Dieu se manifeste dans un nuage et dit : « Celui-ci est mon fils bien-aimé » (2 P 1,16-18).

L'auteur du *Nuage* expose très clairement comment on peut se servir d'un mantra pour percer le nuage d'inconnaissance où Dieu se cache. « Et c'est pourquoi il faut prier dans la hauteur et dans la profondeur, dans la longueur et la largeur de notre esprit » (p. 127). « Et cela, non point par mots et nombreuses paroles, mais en un *petit* mot d'une brève syllabe » (p. 127). Il nous exhorte à mettre de côté nos pensées, nos mots, notre imagination, et à les enfouir dans ce qu'il appelle le « nuage de l'oubli » (chapitre 5). Nous devons, écrit-il, renoncer à toutes nos idées et tous nos concepts à propos de Dieu, « Car voici : Il peut bien être aimé, mais pensé non pas. L'amour Le peut atteindre et retenir, mais jamais la pensée » (p. 35-36).

Sur l'usage d'un mantra dans la prière, voici ce que dit le *Nuage* :

[…] un petit mot, et très bref de syllabes : car le plus court il est, mieux il est accordé à l'œuvre de l'Esprit. Semblable mot est le mot : DIEU ou encore le mot : AMOUR. Choisis celui que tu veux, ou tel autre qui te plaît, pourvu qu'il soit court de syllabes. Et celui-là, attache-le si ferme à ton cœur, que jamais il ne s'en écarte, quelque chose qu'il advienne.

Ce mot sera ton bouclier et ton glaive, que tu ailles en paix ou en guerre. Avec ce mot tu frapperas sur ce nuage. (p. 39)

Lève ton cœur vers Dieu, dans un élan d'humilité et d'amour; pense à Lui seul, et non pas à ses biens. Ainsi considère avec répugnance toute pensée autre que de Lui. […] Et ce que tu as à faire, c'est d'oublier toutes les créatures […] laisse-les exister et ne t'en soucie point. […]

C'est pourquoi, ne te relâche point, mais sois en travail jusqu'à temps que tu t'y sentes porté. Car dans les commencements, lorsque tu le fais, tu ne trouves rien qu'une obscurité […] et […] un nuage d'inconnaissance.

Donc, apprête-toi à demeurer dans cette obscurité tant que tu le pourras, toujours plus soupirant après celui que tu aimes. (p. 22, 23)

Et frappe à coups redoublés sur cet épais nuage d'inconnaissance avec la lance aiguë de l'amour impatient; et ne t'en va pas de là pour chose qui arrive. (p. 36)

[…] car un élan direct et nu vers Dieu est suffisant assez, sans aucune autre cause que lui-même. (p. 39)

L'auteur du *Nuage* apporte quelques autres précisions sur la prière avec répétition d'un mot bref, la prière comme quête de Dieu dans le silence et l'immobilité.

— Il nous prévient de ne pas venir à la prière avec des attentes, de ne pas chercher à en tirer des expériences spéciales, de ne pas espérer y avoir des visions ou y entendre des voix, etc. *Le nuage* dit que l'union essentielle avec Dieu surpasse toutes ces expériences.

— *Le nuage* précise qu'on doit vider l'âme de toutes images ou pensées, et simplement s'abandonner à l'obscurité, à l'obscurité du nuage d'inconnaissance.

De cette obscurité de la foi, assure l'auteur, se dégagera un élan d'amour ardent. Vider l'âme des images et des concepts, explique *Le nuage*, a pour finalité de disposer le priant à recevoir le don de l'amour divin. L'intelligence conceptuelle de l'homme en ce domaine est, souligne l'auteur, totalement inadéquate et imparfaite. Dieu, dit-il, dépasse tout ce que nous pouvons imaginer.

— L'auteur du *Nuage* écrit que la voie de la prière silencieuse est la simplicité même et que la personne la plus ignorante peut elle aussi parvenir à ce silence. Cette discipline spirituelle sans complications, explique-t-il, est un développement normal de toute vie chrétienne ordinaire. Deux autres grands maîtres spirituels du Moyen Âge, Maître Eckhart (1260-1327) et Jean Tauler (1300-1361), enseignent pareillement que les sommets de la prière contemplative sont à la portée des gens ordinaires.

— *Le nuage* insiste sur le fait que, dans cette prière, Dieu se charge de l'essentiel du travail. Notre travail, dit l'auteur, consiste à nous rendre silencieux, ce qui ne peut se faire sans l'aide de la grâce. Loin de se résumer à une technique, être silencieux dans la prière est en fait un appel particulier de Dieu.

— *Le nuage* soulève un autre point : nous ne devrions en aucun cas nous laisser subjuguer par des sentiments superficiels de quelque nature — fussent-ils de joie ou de tristesse, d'exaltation ou de dépression. L'auteur nous recommande de prendre appui, dans cette prière, sur un profond état de recueillement et sur le fondement de notre être. Même Satan, ajoute-t-il, ne peut forcer le sanctuaire de notre cœur dans cette prière. Dans un pareil silence, on ne peut qu'être ouvert à la voix de l'Esprit.

— *Le nuage* soutient qu'en restant silencieux en prière, nous aidons dans les faits toute la race humaine. Bien que nous ne pensions explicitement à personne en particulier, nous aidons dans les faits tout le monde.

— *Le nuage* relève que cette prière consume les racines du péché et s'acquitte d'une fonction que *ne peuvent* remplir le jeûne, l'abnégation ou les pénitences qu'on s'impose à soi-même. La flamme d'amour qui brûle dans la prière, explique *Le nuage*, pénètre jusqu'à un niveau de la personne sur lequel pénitences et autres exercices sont sans effet.

— L'auteur du *Nuage* ne s'interdit pas un brin d'humour. Peut-être par ironie, il dit que le silence contemplatif modifie même l'apparence du priant, lui donne une allure sereine, unifie sa personne et le rend séduisant. « Cette prière embellit même ceux pour qui la nature ne s'est pas montrée généreuse. » Malheureusement, il ne mentionne ni perte de poids ni effacement des rides!

— *Le nuage* traite aussi de ce que coûte cette prière. Son auteur écrit : « C'est un dur travail [...] ah! sûrement, un vraiment dur travail » (p. 97).

À la lumière de ce qui précède, on peut constater la grande influence du *Nuage d'inconnaissance* sur les enseignements de John Main en matière de prière. *Le nuage* est encore de nos jours l'un des grands classiques de la spiritualité. On le trouve en édition de poche, traduit et préfacé par Armel Guerne. On aura aussi avantage à lire *Mysticism of the Cloud of Unknowing* du jésuite William Johnston, à qui l'on doit d'ailleurs une récente édition anglaise du *Nuage*.

Une tradition ininterrompue

Chaque époque a ses contemplatifs, maîtres et guides chrétiens de diverses contrées et cultures qui insistent sur le silence contemplatif dans la prière.

Dans les déserts d'Égypte jusqu'au xe siècle, il faut compter, en plus de Cassien, abba Isaac, Évagre, Origène, saint Augustin, saint Grégoire le Grand, saint Jean Climaque, saint Jean Chrysostome, Jean Scot Érigène, Syméon le Nouveau Théologien, Denys l'Aréopagite, Clément d'Alexandrie et saint Grégoire de Nysse.

Pour le Moyen Âge, entre les xe et xive siècles, mentionnons saint Bernard de Clairvaux, saint Bonaventure, saint Thomas d'Aquin, saint François d'Assise, Guillaume de Saint-Thierry, Hugues de Saint-Victor, Grégoire Palamas, Maître Eckhart et les mystiques rhénans, Ruysbroek, Suso et Tauler.

Au xive siècle, on dénombre l'auteur du *Nuage d'inconnaissance*, ainsi que Walter Hilton, Catherine de Sienne et Julienne de Norwich; au xve siècle, Nicolas de Cues; au xvie siècle, les Espagnols saint Jean de la Croix et sainte Thérèse d'Avila de l'Ordre de Notre-Dame du Mont-Carmel.

Du xvie au xixe siècle : Théophane le Reclus, saint François de Sales, Blaise Pascal, Jean-Pierre de Caussade, l'auteur des *Récits d'un pèlerin russe*, William Law, sainte Jeanne de Chantal, sainte Thérèse de Lisieux et Frère Laurent.

Le xxe siècle a vu fleurir une grande variété de contemplatifs, guides et maîtres spirituels qui ont écrit sur l'importance du silence dans la prière. Parmi eux figurent six bénédictins : Dom Augustin Baker, Dom

John Chapman, Swami Abhishiktananda (Henri Le Saux), Bede Griffiths, John Main et Laurence Freeman. N'oublions pas non plus Thomas Merton, Bernard Lonergan, Teilhard de Chardin, Charles Péguy, Edith Stein, William James, Kallistos Ware, Simone Weil, Etty Hillesum, Charles de Foucauld, Evelyn Underhill, Karl Rahner, Jacques et Raïssa Maritain, Étienne Gilson, Friedrich von Hügel, Mère Teresa, Jean Vanier, Thomas Keating, Basil Pennington, George Maloney, William Johnston et quantité d'autres.

Chapitre 9

L'universalité de l'appel à la prière contemplative

Rien n'est plus urgent dans l'Église et le monde d'aujourd'hui qu'une compréhension renouvelée de l'universalité de cet appel à la prière, à la prière profonde.

(John Main, *Un mot dans le silence, un mot pour méditer*, p. 9)

Pour durer, toute croissance dans la nature suppose un solide enracinement et chacun de nous est appelé à s'enraciner solidement dans le Christ. Je pense que la méditation est vraiment, en un sens, un retour à notre innocence originelle. Les Pères décrivaient cette voie comme la « pureté de cœur ». Jésus invite chacun de nous à trouver son cœur et à le trouver dégagé d'égoïsme, dégagé d'images, dégagé de désir. La méditation nous conduit à cette clarté qui émane de la simplicité originelle et éternelle. Ainsi sommes-nous contents du seul fait d'être avec lui, contents du seul fait de dire comme un enfant notre mot, notre seul mot, du début à la fin de notre méditation.

S'initier à méditer n'exige rien de plus que la volonté de s'initier. S'initier à découvrir ses racines, s'initier à découvrir son potentiel, s'initier à retourner à sa

source. Et Dieu est cette source. Dans la simplicité
de la méditation, par-delà toute pensée et image,
nous découvrons peu à peu en toute simplicité que
nous sommes en Dieu; nous comprenons peu à peu
que nous sommes en Dieu en qui nous avons la vie,
le mouvement et l'être. Nous nous efforçons de
décrire cette vigilance grandissante que nous
découvrons dans le silence et notre engagement
quotidien comme une « conscience unifiée ». La
méditation se résume à cet état de simplicité qui
est le plein épanouissement adulte de notre
innocence originelle. [...] La merveille de la
proclamation du christianisme, c'est que chacun de
nous est invité à ce même état de simple et
amoureuse union avec Dieu. Ce que Jésus est venu
à la fois proclamer et accomplir.

(John Main, *Le chemin de la méditation*, p. 98-99)

Un appel lancé à tous ou aux rares élus?

Une question s'impose à qui emprunte le sentier
de la méditation : tous sont-ils appelés à la
prière contemplative? Quand le psalmiste dit :
« Lâchez les armes! reconnaissez que je suis Dieu »
(*Ps* 46,11), prête-t-il à chacun cette connaissance
intime?

Le grand moine cistercien et écrivain américain,
Thomas Merton (1915-1968), était à ce propos
catégorique : la chute du paradis terrestre dans la
Genèse est chute de l'état contemplatif et perte de
l'unité originelle avec Dieu. Comme l'observe William
Shannon dans *Thomas Merton's Dark Path* :

La contemplation est aussi la clé de la compréhension qu'avait Merton de la rédemption.

La rédemption marque le retour à l'état paradisiaque. Elle marque le rétablissement de l'unité originelle qui caractérisait la condition humaine, celle que Dieu avait et a en vue pour nous. Elle marque la victoire sur tout ce qui nous éloigne de Dieu, de notre vrai moi et de nos frères humains. La route qui mène à la contemplation ramène au paradis et à l'unité originelle.

Merton en vint à se représenter que la contemplation n'est pas une vocation ésotérique, mais une vocation universelle en raison de notre foncière humanité. Et il conclut aussi que la vocation contemplative des chrétiens résulte de leur baptême. Son vif attachement à la contemplation s'exprime dans un poème de *The Tears of the Blind Lions*.

> Que mes os se consument, que ma chair
>   nourrisse les corbeaux
> Contemplation, si je t'oublie.

Et dans *What is Contemplation*, Merton écrit encore :

Le baptême dépose en toute âme chrétienne des semences de contemplation. Mais les semences doivent croître, grandir avant qu'on récolte la moisson. Des milliers de chrétiens errent sur la surface de la terre sans savoir pratiquement rien du Dieu infini qu'ils portent dans leur corps. Des semences de contemplation ont été déposées dans ces âmes, mais s'y maintiennent à peine en dormance. Elles ne germent pas.

Partout, des hommes et des femmes se languissent d'une plus grande intériorité dans leur vie. Il y a quelques années, en Australie, le recteur anglican d'une cathédrale m'a présenté en ces termes : « Monsieur

Harris vous entretiendra de la méditation chrétienne, le secret le mieux gardé aujourd'hui dans l'Église. » Le plus grand défi de la vie spirituelle contemporaine? Partager avec d'autres les enseignements de la méditation chrétienne pour que les semences de contemplation germent en des hommes et des femmes de partout. Ainsi qu'il est écrit dans le *Catéchisme de l'Église catholique* : « le Dieu vivant et vrai appelle inlassablement chaque personne à la rencontre mystérieuse de la prière » (2567). Et le psalmiste dit : « Aujourd'hui, pourvu que vous obéissiez à sa voix! Ne durcissez pas votre cœur » (*Ps* 95,8).

À l'intention de ceux qui n'entendent jamais l'appel à la contemplation, Thomas Merton commente ainsi la parabole évangélique du semeur qui sème à la volée : certaines semences tombent sur la route et les oiseaux des cieux les dévorent; d'autres semences tombent dans un sol pauvre, ne font pas de racines, dépérissent et meurent; d'autres encore tombent en sol fertile et portent du fruit en temps voulu. Merton note que la folle agitation, les inquiétudes et les soucis du monde couvrent souvent la voix de Dieu qui nous appelle à cette manière de prier. En raison de notre fol affairement, les semences (l'appel de Dieu) sont dévorées par les oiseaux du ciel ou tombent sur un sol infertile.

Certaines personnes délaissent la pratique quotidienne de la prière silencieuse parce qu'elles se sont mises à la méditation en nourrissant trop d'attentes impatientes. Elles escomptent des « résultats instantanés ». Elles ont encore à apprendre comment méditer, « se renoncer et laisser agir Dieu ». D'autres jugent trop exigeante la discipline spirituelle quotidienne. Quel que soit leur motif, les personnes qui abandonnent ne devraient jamais se déprécier pour autant. Dieu prend souvent des détours. Peut-être y reviendront-elles à un moment plus propice dans leur vie. Les voies de la grâce sont mystérieuses. À ceux qui abandonnent, ceux qui persévèrent devraient offrir amitié, amour, soutien indéfectibles, et laisser tout le reste entre les mains de Dieu.

Le second coup sur la tête

Il est bon de se rappeler que Jésus prend l'initiative pour approfondir notre prière et que Jésus lance l'invitation. Bien des personnes qui méditent de nos jours font effectivement état d'une *double* invitation. Il semble que deux coups soient souvent frappés à la porte : « Voici, je me tiens à la porte et je frappe » (*Ap* 3,20).

On doit à June Longworth, hôtesse d'Air Canada et membre de l'Église unie du Canada, l'expression « recevoir deux coups sur la tête » pour décrire l'appel de Dieu à la méditation. June reçut un premier coup sur la tête à un dîner où elle surprit une conversation sur la méditation chrétienne et sur un moine bénédictin nommé John Main. D'abord circonspecte, elle réussit néanmoins à mettre la main sur quelques livres de John Main et *Un mot dans le silence, un mot pour méditer* l'initia aux enseignements du moine.

Plus tard, au cours d'un vol entre Toronto et Londres, elle reçut le second « coup sur la tête ». Elle avisa, assis dans un fauteuil voisin de son poste de travail, un passager qui lisait *In the Stillness Dancing*, une biographie de John Main. Le passager était le père Jim Demsey, un prêtre irlandais qui exerçait son ministère au Canada. Le père Jim et June découvrirent qu'ils habitaient à proximité l'un de l'autre, près de Cambridge, en Ontario. Il l'invita à se joindre à son groupe de méditation, ce qu'elle fit. June raconte que, grâce aux deux coups sur la tête et, en particulier, à la prodigalité avec laquelle John Main cite l'Écriture, elle reconnut soudain en cette prière, cette discipline et cette spiritualité, celles dont elle rêvait depuis toujours. June avait été la bénéficiaire d'une *double* invitation.

Jeune enseignante à Berlin, en Allemagne, Brigitte Ahlften relate peut-être l'un des récits les plus saisissants de cette double invitation. Après un week-end de récollection en Bavière, elle visita la librairie du monastère. Elle se dirigea droit, dit-elle, vers une étagère contenant quelque deux cents livres et, sans motif *apparent*, sinon peut-être la couverture d'un rouge vif, choisit un livre et l'acheta. C'était *Un mot dans le silence, un mot pour méditer*, en traduction allemande. Elle n'eut pas le temps de lire l'ouvrage parce que, la semaine suivante, elle était en vacances en Irlande et faisait du vélo avec une amie. À Dublin, elle entendit par hasard quelqu'un mentionner à un arrêt le nom de John Main et la réunion d'un groupe de méditation qui se tenait le jour même. Elle assista à la rencontre. Grâce à ce second coup frappé à sa porte — la seconde invitation — Brigitte s'était mise à la méditation.

Il semblerait que Dieu adresse, à certaines personnes, une double invitation à emprunter le chemin de la méditation chrétienne. Ce que Thomas Merton exprime à merveille : « Nous devenons contemplatifs quand Dieu se découvre Lui-même en nous. » Nous devons toujours nous rappeler que l'appel à la méditation est un don et une grâce de Dieu :

« Aujourd'hui, pourvu que vous obéissiez à sa voix!
Ne durcissez pas votre cœur » (*Ps* 95,7-8).

« Beaucoup de premiers seront derniers
et les derniers seront premiers »

Souvenez-vous de l'affirmation mystérieuse du
Seigneur : « Beaucoup de premiers seront derniers et
les derniers seront premiers » (*Mc* 10,31). On peut
certainement appliquer ces mots de Jésus à plusieurs
êtres blessés et brisés à qui le don de la méditation est,
pour ainsi dire, offert à la « dernière heure ». Que de
fois avons-nous vu des personnes venir à la méditation
en un moment de crise ou d'épreuve dans leur vie! Il
semble que les mourants reçoivent souvent le don de
la méditation, don qui les assiste dans leur préparation
à la mort. Bien des membres des Alcooliques anonymes
(AA) donnent suite à la onzième des douze étapes de
leur programme, étape qui les exhorte à la prière et à
la méditation.

Nous ne devrions pas nous étonner que l'auteur du
Nuage d'inconnaissance tienne en ce sens des propos
on ne peut plus prophétiques. Il y a six cents ans, au
XIVᵉ siècle, *Le nuage* évoque ainsi la libéralité de Dieu
avec ce don du silence :

> Et j'ai confiance que notre Seigneur aussi souvent
> et aussi particulièrement consent, oui! et plus
> particulièrement même et plus souvent, à
> accomplir cette œuvre en ceux qui furent
> accoutumés pécheurs, qu'en tels autres qui ne
> L'ont jamais tant gravement offensé que ceux-là.
> Ce qu'Il fait pour ce qu'Il veut être vu tout-
> miséricordieux et tout-puissant, et pour ce qu'Il

veut être vu agissant comme il Lui plaît, où il Lui plaît et quand il Lui plaît. (p. 112-113)

Nous n'utilisons plus l'expression « pécheurs accoutumés », mais la référence est on ne peut plus claire. Dieu fait *souvent* don de la prière silencieuse à ceux qui ont touché le fond dans leur vie. L'histoire de Galilee House, en Irlande, est une illustration concrète de l'intuition de l'auteur du *Nuage*. (Sur les vertus curatives de la méditation chrétienne et sur le chemin de l'incomplétude à la complétude, voir le chapitre 17.)

Chapitre 10

Le mantra, ou mot-prière, et son rôle dans la méditation chrétienne

Le conseil pratique réitéré par les maîtres de la prière se résume à une simple injonction : « Dites votre mantra; utilisez ce petit mot. » *L'auteur du* Nuage d'inconnaissance *recommande de* « prier non point par mots et nombreuses paroles, mais en un petit mot d'une brève syllabe. Attache-le si ferme à ton cœur, que jamais il ne s'en écarte, quoi qu'il advienne. Ce mot sera ton bouclier et ton glaive [...] Et avec lui tu rabattras toutes manières de penser sous le nuage de l'oubli ».

Dans sa célèbre lettre de Michaelmas (1920) provenant de Downside, l'abbé Chapman décrivait la façon simple et fidèle de dire le mantra, découverte qu'il devait davantage à sa persévérance courageuse dans la prière plutôt qu'à l'enseignement des maîtres. Il avait redécouvert une tradition simple et durable que Jean Cassien avait fait connaître en Occident à la fin du IVe siècle. Quant à Cassien, il en avait reçu l'enseignement par des saints hommes du désert qui estimaient que l'origine de cette tradition remontait aux temps apostoliques.

Le respect dont jouit la tradition du mantra dans la prière chrétienne est attribuable à sa simplicité absolue. Le mantra répond à toutes les exigences des maîtres de la prière, car il nous guide vers une harmonieuse et attentive immobilité d'esprit, de corps et d'âme. La méditation n'exige aucun talent ou don spécial, si ce n'est la détermination et le courage de persévérer. « Nul n'est privé de la pureté du cœur parce qu'il est inculte; l'ignorance ne constitue pas davantage un obstacle, car la pureté du cœur est accessible à tous ceux qui, par la répétition du mantra, gardent leur esprit et leur cœur attentifs à Dieu. » Notre mantra est l'ancienne prière araméenne : « Maranatha, Maranatha » : « Viens Seigneur, viens Seigneur Jésus ».

(John Main, *Un mot dans le silence,*
un mot pour méditer, p. 75)

Moine du désert au IVe siècle, Jean Cassien en parlait comme d'une *formula*; John Main l'appelle souvent *mot-prière*; l'usage contemporain a démocratisé le mot *mantra*.

Dans *Méditation. Un programme en huit points pour donner un sens à sa vie* (p. 63), Eknath Easwaran fait valoir que « mantra », mot de deux syllabes, dérive des mots sanscrits *man*[1], « esprit, intellect, pensée », et *tri*, « traverser » (*tri* signifierait aussi « trois, triple »). Pratiqué comme une discipline spirituelle, le mantra permet de traverser l'océan de l'esprit.

---

[1]   Plus vraisemblablement de *manas* ou *manisa*, selon Le Saux, Aurobindo, Davy.

L'océan, poursuit Easwaran, est une autre métaphore adéquate de l'esprit. Toujours changeant, l'océan est un jour étale, agité le lendemain. Notre esprit dérive à sa surface, il est ballotté à chaque distraction sur ses eaux traîtresses. Impossible d'en compléter la traversée sans aide. C'est là qu'entre en jeu le mantra.

En fait, pour utiliser une autre figure de style, le mantra parvient finalement à nous attirer au fond de l'océan, où tout est calme et tranquille. De formidables vagues (notre raison, nos distractions) peuvent déferler à la surface de la mer, mais au fond de la mer règne toujours la quiétude et notre cœur y est calme, silencieux.

Un mantra est tout simplement un verset, ou mot sacré, que nous répétons sans arrêt pendant nos moments de méditation pour qu'il nous conduise au silence intérieur, en présence du Seigneur. Le mantra vise à nous amener au centre de nous-mêmes, dans notre cœur où nous apprenons à être éveillés, alertes et ouverts à l'Esprit qui nous habite. Dans cette immobilité et cette paix, nous devenons non seulement conscients de la présence de Dieu, nous *faisons l'expérience* de sa présence.

Dans *Le pèlerin russe. Trois récits inédits*, grand classique de la spiritualité russe au XIXe siècle, un moine, rencontré par le paysan narrateur, commente la répétition du mantra en citant d'abord un « auteur spirituel » :

> Je sais, dit-il, que pour beaucoup de soi-disant spirituels et sages philosophes qui cherchent partout la fausse grandeur et des pratiques séduisantes pour la raison et pour l'orgueil, le

simple exercice vocal mais fréquent d'une prière paraît avoir peu de signification, n'être qu'une basse occupation, même une simple plaisanterie. Mais ces malheureux se leurrent. (p. 83)

Il est certain que la fréquence de la prière forme une habitude et devient une seconde nature. (p. 82)

La pratique fréquente de la prière retiendrait souvent [le priant] de commettre une action coupable, et le rappellerait à sa vocation originelle : l'union avec Dieu. (p. 82)

La répétition d'un mot, dans nos périodes de méditation, a pour objet de nous éloigner des pensées, des idées, des images, et de nous rendre disponibles à la prière de Jésus au-dedans de nous. « Par le mantra, dit John Main, nous nous défaisons de toutes les images fugitives et nous apprenons à trouver le repos dans l'infinité de Dieu lui-même. »

Le mantra nous conduit à l'immobilité intérieure, par-delà les distractions et la conscience égocentriste de l'ego. « Et celui-là [le mot ou mantra], lit-on dans *Le nuage d'inconnaissance*, attache-le si ferme en ton cœur, que jamais il ne s'en écarte, quelque chose qu'il advienne. [...] Et avec lui tu rabattras toutes manières de pensée sous le nuage de l'oubli. » (Sur *Le nuage*, voir le chapitre 7.) Le pouvoir du mantra tient à sa simplicité, selon John Main qui conseille de répéter le mot jusqu'à ne plus pouvoir le dire parce que *choisir* de ne plus le dire ferait rétrograder au niveau dualiste de la prière où l'ego, encore une fois, observe, arrête des choix et exerce le contrôle.

Parfois, le mantra peut introduire dans le silence absolu. Dès que nous prenons conscience du silence d'une manière que l'on pourrait exprimer comme « Je suis silencieux », nous ne sommes plus silencieux et il nous est conséquemment nécessaire de recourir encore à l'action purificatrice du mantra. Le mantra est voie de *kénose*, purgation de l'égoïsme qui mène à la plénitude de l'être, à « toute la plénitude de Dieu » (*Ep* 3,19).

Sur la puissance d'intégration du mantra, John Main écrit : « La répétition fidèle du mot intègre tout notre être, parce qu'elle nous conduit au silence, à la concentration, au niveau de conscience nécessaire pour ouvrir notre cœur et notre esprit au travail de l'amour de Dieu dans le fond de notre être. »

Le mantra est une discipline spirituelle, un adjuvant de la concentration; il nous rend capables d'aller au-delà des mots, des pensées, même des pieuses pensées. C'est aussi une discipline quotidienne et un labeur auxquels il faut nous plier. Nous récitons le mantra lentement, uniment et avec empressement. Quand nous constatons que notre esprit vagabonde, nous revenons simplement à notre mantra. Par conséquent, le mantra n'a rien de secret ni de magique. Il s'agit simplement d'une invocation quotidienne à Dieu, d'une discipline spirituelle d'*amour*.

John Main explique que, si nous persévérons sur le chemin de la méditation, le mantra prend alors graduellement racine. Il commence par résonner, pourrait-on dire, dans le cœur; nous nous mettons ensuite à l'entendre à un niveau beaucoup plus profond de notre être. Il faut, précise-t-il, réciter posément et calmement le mantra, en se montrant humble et patient. Le mantra dit à Dieu : « Je suis ouvert à ta présence, je me repose en ta présence, je suis dans tes mains. Fais de moi ce que tu veux. » Le mantra marque notre reddition à Dieu.

Mais John Main nous rappelle aussi qu'on ne peut forcer le rythme propre de la méditation. Il nous faut renoncer aux objectifs, aux velléités d'accomplissement. Le mantra s'enracinera dans notre conscience par notre simple fidélité à y revenir chaque matin et chaque soir. Dans la persévérance, nous nous tiendrons devant Dieu, « l'intellect établi dans le cœur » (Higoumène Chariton, *L'art de la prière*, p. 59).

Dès que nous nous mettons à poser des questions comme « À quel point ai-je progressé? » ou « Combien de temps me faudra-t-il pour y arriver? » ou « Est-ce que je me sanctifie? », nous sommes occupés de nous-mêmes — ce que nous tenons à éviter. Méditer, dit le père John, exige de la simplicité, et la récitation fidèle du mantra conduit à la simplicité.

Autre secret bien gardé du mantra : il nous préserve de nous engluer dans le passé ou le futur. Tant d'entre nous perdent leur temps à vivre dans le passé, à le décortiquer, ou à fantasmer sur l'avenir. Temps perdu que tout ça. Vivre le moment *présent*, seul moment important dans le temps, voilà ce qui est vital. Et le secret le mieux gardé de la récitation du mantra est qu'elle *peut* nous installer dans le moment présent.

Quand nous disons notre mantra, il nous est impossible de penser au passé ou à l'avenir. Nous sommes absorbés dans le *maintenant*. Si nous lisons les lettres de saint Paul, nous constatons que l'Apôtre vivait toujours dans le moment présent. « Voici *maintenant* le moment tout à fait favorable, écrit-il. Voici *maintenant* le jour du salut » (*2 Co* 6,2). Pas hier, pas demain, mais *maintenant*. La récitation constante du mantra nous installe dans le moment présent.

Il faut répéter silencieusement le mantra avec toute l'attention dont nous sommes capables. Le mantra s'enfoncera ensuite dans les couches les plus profondes de la conscience jusqu'à devenir aussi naturel que la respiration. Répétons-le: nous prêtons l'oreille au mantra comme à un son. L'écouter comme un son aide notre concentration à quitter la pensée pour l'être.

Difficile de croire que la méditation avec récitation du mantra est réellement aussi simple qu'il y paraît. Nous sommes tentés de la compliquer. Mais la méditation se simplifie si nous persévérons dans cette voie. Au début, nous disons le mantra à un niveau superficiel de l'esprit; avec le temps, une fois que le mantra est enraciné, le réciter nécessite de moins en moins d'effort. Notre travail se résume à le dire avec foi, avec amour, avec disponibilité à la présence de Dieu. Cet exercice quotidien diligent enracine de fait profondément dans notre conscience le mantra qui devient notre ami et notre compagnon.

Enfin, nous devrions toutefois toujours nous rappeler que la voie du mantra n'est ni une technique ni une méthode visant quelque objectif... cet objectif fût-il le silence. Le silence n'est que le doigt qui pointe vers Dieu. La discipline de la méditation exige foi, confiance, renoncement, ouverture, attention, joie et, par-dessus tout, *amour*. Laissons tout le reste dans les mains du Seigneur.

Le choix d'un mantra

Comme on l'a dit précédemment, *maranatha* est l'une des plus anciennes prières chrétiennes. Ce mot araméen, la langue que parlait Jésus, signifie : « Viens, Seigneur Jésus » ou « Le Seigneur vient ». C'est l'un des derniers mots de la première épître aux Corinthiens de saint Paul et de l'Apocalypse de saint Jean (*1 Co* 16,22; *Ap* 22,20). Paul, qui écrivait en grec aux Corinthiens, insère à la fin de sa lettre le mot araméen *maranatha*. Selon les exégètes, Paul a pu agir ainsi parce que les premiers chrétiens comprenaient parfaitement ce mot. De fait, c'était un mot de passe qui permettait aux chrétiens d'entrer dans les maisons où l'on célébrait l'Eucharistie.

Maranatha figure aussi dans l'un des plus anciens fragments de la liturgie eucharistique qui nous soit parvenu. Après que les fidèles ont reçu la communion, le prêtre dit : « Hosanna au Dieu de David! — Si quelqu'un est saint, qu'il vienne! Si quelqu'un ne l'est pas, qu'il fasse pénitence! — " Maran Atha " (Le Seigneur vient). Amen » (*Didachè* 10,6).

Maranatha est un mot sacré pour les chrétiens, mais il ne faut pas pour autant nous appesantir sur le sens de ce mot dans nos moments de méditation. Nous voulons aller au-delà des images et des pensées, nous en remettre simplement en silence au Seigneur. Il n'y a rien de magique ni de mystérieux dans un mantra. C'est vraiment un outil très pratique qui calme notre esprit, notre cœur, et nous met en présence de Dieu.

Répétons-le, il faut décomposer en quatre syllabes d'égale longueur le mot *maranatha* : ma-ra-na-tha. Et, le disant doucement et continuellement pendant toute la période de méditation, prêter l'oreille à ce mot comme à un son. John Main dit qu'un jour viendra peut-être où nous entrerons dans le nuage d'incon-naissance, lieu de silence, du silence absolu, où nous n'entendrons plus le mantra. Ce silence absolu peut ne durer qu'un bref instant; il nous faut ensuite retourner à la récitation du mantra.

D'autres mantras chrétiens

John Main traite aussi du mot *Abba* que Jésus employait dans sa prière personnelle. Comme *maranatha*, ce mot est araméen et signifie « Papa ». Le père Main aborde également le nom de *Jésus*, même s'il estime que le mantra « Jésus » pose des difficultés à certains Occidentaux rationalistes. (Sur la prière de Jésus, voir le chapitre 8.)

L'auteur du *Nuage d'inconnaissance* jugeait quant à lui important de choisir un mot d'une seule syllabe. *Maranatha* cadre avec cette exigence, dans la mesure où il se décompose en quatre syllabes d'égale longueur si on le récite lentement, en l'accordant avec le rythme de la respiration.

Le choix d'un mantra est important; idéalement, il devrait être sanctionné par un long usage. Le mantra est généralement transmis par un maître — par exemple, John Main que plusieurs méditants chrétiens autour du monde considèrent comme leur maître.

Ayant frais à l'esprit ces précisions sur le choix d'un mantra, prenez connaissance de quelques mantras suggérés aux chrétiens par des auteurs spirituels d'horizons divers. Notez que plusieurs s'écartent de la tradition, instaurée par l'auteur du *Nuage* ou par John Main, des mantras d'une seule syllabe ou de quatre syllabes d'égale longueur : Abba, Paix, Viens Esprit Saint, Kyrie Eleïson, Christ est ressuscité, Mon Seigneur et mon Dieu, Veni Sancte Spiritus, Seigneur viens vite à mon aide, Dieu est amour.

Le remplacement du mantra

L'enseignement traditionnel en la matière veut que nous choisissions un mantra et nous y tenions, puisque nous voulons que le mantra s'enracine en nous. Si nous transplantons à répétition une plante, si nous la déracinons maintes fois, viendra un moment où les racines, mises à mal, ne s'enracineront tout simplement plus. Lorsqu'elles éprouvent des difficultés avec les distractions dans leur méditation, certaines personnes croient venu le temps de changer de mantra. Cette attitude s'explique par la fébrilité de notre époque. On fait l'essai d'un mantra pendant six semaines, puis d'un autre. Mais on n'arrive à rien en agissant ainsi. Choisissez un mantra, restez-y fidèles et laissez-le s'enraciner profondément en vous.

Il existe une adorable histoire (apocryphe) à propos d'un vieil ermite du désert qui utilisait le même mantra depuis quarante ans. Il aimait parfois le réciter à voix haute. Son intense vie de méditation l'avait rendu capable d'opérer de petits miracles : faire tomber la pluie du ciel, marcher sur les eaux d'un fleuve proche et d'autres merveilles — ainsi le veut l'histoire. Un jour, des moines de passage l'entendirent psalmodier son mantra et estimèrent qu'il ne prononçait pas correctement son mot-prière. Ils décrétèrent donc qu'une correction fraternelle s'imposait et lui enseignèrent à le bien prononcer. L'ermite était humble et il se confondit en remerciements pour la prononciation correcte. À partir de ce moment, il prononça correctement le mot. Mais lorsqu'il voulut une nouvelle fois marcher sur les eaux, il coula au fond du fleuve.

Eknath Easwaran, maître de méditation hindoue, relate une anecdote suivant laquelle Sri Ramakrishna aurait un jour comparé une personne qui changeait régulièrement de mantra à un fermier creusant en dix endroits différents pour trouver de l'eau (*Méditation*, p. 74-75; *La vie comme un message*, p. 42). Le fermier se met en devoir de creuser dans un coin jusqu'à ce que le creusage devienne difficile, puis change d'endroit. À l'endroit suivant, il dit : « Le sol est trop friable, ici. Je vais essayer ailleurs. » Il se heurte ensuite à du roc et, pendant le reste de la journée, va d'un endroit à un autre. La morale de l'histoire? Si le fermier avait consacré autant de temps et d'énergie à creuser en un seul endroit, il aurait bientôt atteint une profondeur suffisante pour trouver de l'eau. Il en est de même pour le choix d'un mantra et sa récitation. Persévérez, tenez-vous en à *un* mantra et vous trouverez l'eau *vive*.

La récitation incessante du mantra

Les étapes du cheminement intérieur de la méditation se reflètent dans l'approfondissement du mantra et la diminution de l'effort requis pour le dire. Au début, nous *disons* le mantra en dépit de distractions constantes. À une certaine étape, nous parvenons à *faire résonner* le mantra sans y mettre autant d'effort, et souvent sans que des distractions en interrompent la récitation. À une autre étape, nous parvenons à *écouter* le mantra avec une totale sincérité qui nous soustrait à l'emprise de toute distraction. Ces phases peuvent aller et venir de manière cyclique.

Bien sûr, le mantra est une discipline, pas une fin en soi. C'est la voie de la pauvreté d'esprit, pas le Royaume lui-même. Il peut arriver, et cela est un don, que le mantra nous installe dans le silence absolu. Il ne faut ni escompter, ni imaginer ni rechercher pareille expérience. Quiconque prend *conscience* qu'il est silencieux devrait simplement recommencer à dire son mantra, parce que le silence lui a dès lors échappé. Si on est conscient du silence, c'est qu'on n'est pas pleinement silencieux; dès que nous *pensons* que nous sommes silencieux, nous devons donc retourner au mantra.

La tradition enseigne qu'il faut dire le mantra jusqu'à ne plus pouvoir le dire. On ne *choisit* pas le moment d'arrêter de le dire. Voilà qui concorde avec l'antique sentence des Pères du désert : « La prière n'est point parfaite, disait Antoine, où le moine a conscience de soi et connaît qu'il prie » (Cassien XI, 31, *Collationes*, p. 46).

En réponse à une question sur le mantra qui conduit au silence, John Main nous rappelle que nous ne pouvons faire advenir le silence :

Le don de la prière pure, le don de la contemplation pure, le don du silence pur est un don absolu. Il ne s'agit aucunement, pourrait-on dire, de quelque chose que nous pourrions gagner ou obtenir de Dieu par la force. Quand il nous est donné, nous l'acceptons avec joie et nous recommençons à dire notre mantra.

La récitation du mantra en d'autres moments

On peut assurément répéter son mantra en dehors des périodes de méditation quotidiennes. Une tradition qui s'inscrit en lien direct avec l'exhortation de saint Paul à « prier sans cesse » (*1 Th* 5,17).

Une fois que le mantra s'est enraciné par une pratique quotidienne sur plusieurs années, il se peut que nous commencions à l'entendre résonner en nous sans devoir faire nous-mêmes tout le travail. Au début, nous répétons le mantra à un niveau mental superficiel. Si nous persévérons, le mantra poussera des racines de plus en plus profondes dans notre conscience. Pour le chrétien, répétons-le, cet enracinement se rattache à l'exhortation de saint Paul à « prier sans cesse ». Après l'effort initialement requis pour réciter le mot-prière, écrit l'évêque Théophane le Reclus (1815-1894), la prière devient comme le murmure d'un ruisseau dans le cœur.

Et cela survient, bien entendu, quand le mantra est une grande source de consolation et de courage en temps de crise, d'épreuve et même de souffrance. Les méditants évoquent constamment le pouvoir qu'a le mantra de détourner l'attention et, par conséquent, d'apporter un soulagement à la souffrance et à l'angoisse. Quand nous disons notre mantra, nous invoquons par-dessus tout le Seigneur du plus profond de notre être. Alors notre foi et la grâce participent de la méditation.

Un méditant racontait récemment un incident survenu après une intervention chirurgicale. Lorsqu'il reprit conscience, après que se furent dissipés les effets de l'anesthésie, il fut accueilli par le mantra qui résonnait en lui haut et clair, sans effort de sa part. Fait plus important encore, il eut le sentiment qu'un vieil ami l'accueillait à son retour au pays des vivants et lui offrait soutien et encouragement pour la période de convalescence qui l'attendait.

Le mantra libère en nous une intense énergie spirituelle. Et comme nous l'avons déjà mentionné, le mantra refait parfois spontanément surface à la conscience dans notre train-train quotidien. C'est là une grande bénédiction et, encore une fois, un don de Dieu. « Récitez d'abord le mantra pendant la méditation, disait un jour le père John, et bientôt il commencera à résonner en vous à d'autres moments de la journée. »

La pauvreté du mantra

Selon Jean Cassien, le but de la méditation est de restreindre son esprit à la pauvreté d'un simple verset. Un peu plus loin, Cassien s'explique par une expression lumineuse lorsqu'il nous engage à devenir des « pauvres magnifiques ». La méditation vous fera certainement voir la pauvreté autrement. La persévérance dans la récitation du mantra vous amènera à une compréhension de plus en plus approfondie, à partir de votre expérience personnelle, de cette déclaration de Jésus : « Bienheureux les pauvres en esprit [...] ».

Ainsi, dans la méditation, nous proclamons [confessons] notre pauvreté personnelle. Nous renonçons à toute pensée, mot ou image en restreignant l'activité de notre esprit à la pauvreté d'un unique verset.

(John Main, *Un mot dans le silence, un mot pour méditer*, p. 26-27)

Comme John Main le remarque, le moine du désert Jean Cassien a clairement défini la pauvreté de la répétition d'une formule (mantra) dans la prière incessante (voir chapitre 8). Dans sa « Dixième conférence », Cassien écrit :

> Oui, que l'âme retienne incessamment cette parole, tant que, à force de la redire et méditer sans trêve, elle ait acquis la fermeté de refuser et rejeter loin de soi les richesses et les amples avoirs de toutes sortes de pensées, et que restreinte ainsi à la pauvreté de cet humble verset, elle parvienne [...] à la béatitude évangélique [...]. (p. 151)

Cassien associe ainsi la pauvreté de la récitation d'un unique verset, dans la prière, à la béatitude « Heureux les pauvres de cœur : le Royaume des cieux est à eux » (*Mt* 5,3).

John Main croyait que la vraie pauvreté dans la méditation, comme le dit Jean Cassien, restreint l'activité de l'esprit à la pauvreté d'un unique verset. Le père John signalait aussi que la méditation, comme voie de pauvreté, trouve un écho dans ces paroles de Jésus : « qui perd sa vie à cause de moi, l'assurera » (*Mt* 16,25). Nous empruntons un chemin de prière, dit le père John, qui exige une totale pauvreté, une totale abdication, une foi totale et un total « renoncement ». Bien entendu, le « renoncement » ne va pas de soi. Saint Augustin fit d'ailleurs un jour cette prière : « Mon Dieu, rends-moi chaste [...] mais pas à présent. »

Une autre ascèse, on le sait, s'affine dans la méditation : le détachement, non pas tant des possessions matérielles que de la *convoitise*. « Heureux les pauvres », tel est le centre du message de Jésus. Nous ne trouvons véritablement la libération sur le chemin de la méditation que lorsque nous cessons de nous accrocher, non seulement aux mots, aux pensées et aux images, mais à tous les autres attachements.

N'oublions jamais que Jésus était pauvre. Né dans une étable, il n'avait nulle part où reposer la tête (*Mt* 8,20) pendant sa vie publique et il est mort dans le dénuement absolu. Aussi longtemps que nous *convoitons* des possessions matérielles ou d'autres attachements et nous accrochons à eux, nous ne pouvons pas être libres. La méditation nous apprend à renoncer à toutes les chaînes de la convoitise qui nous tiennent en esclavage. C'est pourquoi nous sont si précieux ces mots de Jésus : « Heureux les pauvres ».

Chapitre 11

Le mantra, les distractions et l'esprit papillonnant

Je veux maintenant traiter d'un problème particulier que nous rencontrons tous. Il s'agit du problème des distractions. Que faire quand on se met à méditer et que des pensées importunes viennent à l'esprit? La tradition conseille d'ignorer les distractions et de dire le mot, de continuer à dire le mot. Ne gaspillez pas d'énergie à plisser le front et à vous dire : « Je ne penserai pas à ce que je mangerai à midi », « à qui je rencontrerai aujourd'hui », « où j'irai demain », ni à quelque autre sujet de distraction. Ne dépensez pas la moindre énergie à chasser une distraction. Ignorez-la simplement et, pour l'ignorer, dites votre mot.

(John Main, *Le chemin de la méditation*, p. 24)

Le rôle du mantra en présence de distractions

Pour parvenir au silence intérieur dans la méditation, nous devons tous faire face à un problème : notre esprit est en effet pénétré de pensées, d'images, de sensations, d'émotions, d'intuitions, d'espoirs, de regrets, d'une variété infinie de distractions.

Sainte Thérèse d'Avila a un jour comparé l'esprit humain à un navire à bord duquel les matelots se sont mutinés et ont ligoté le capitaine. Tour à tour, tous les matelots tiennent la barre et, bien sûr, le navire tourne en rond et finit par se fracasser sur des rochers. Tel est notre esprit, dit Thérèse, agité de pensées qui nous entraînent en tous sens. Et elle ajoute : « Les distractions et les vagabondages de l'esprit font partie de la condition humaine et on ne peut guère plus s'en abstenir que de manger et de boire. »

Un sage indien, Sri Ramakrishna, disait un jour que l'esprit humain se compare à un arbre géant où s'abritent des singes qui sautent de branche en branche en babillant. Commentant cette anecdote, Laurence Freeman ajoute qu'un sentier traverse cette forêt de singes babillards : c'est la discipline de la récitation du mantra, dans nos périodes de méditation quotidiennes.

Un autre récit admirable sert d'illustration à la nature capricieuse de l'esprit humain. En Inde, on le compare souvent à la trompe nerveuse, curieuse et toujours baladeuse de l'éléphant. Si vous observez en Inde un éléphant dans un cortège, vous verrez comme est juste la comparaison. Dans les rues des villes et villages indiens, on fait souvent défiler des éléphants en procession jusqu'au temple. Les rues sont sinueuses et étroites, bordées d'étals de fruits et de légumes. L'éléphant s'avance alors avec sa trompe nerveuse et, d'un mouvement vif, attrape un régime entier de bananes. On croirait presque, écrit le maître de méditation Eknath Easwaran, l'entendre demander :

« Qu'espérez-vous d'autre de moi? J'ai une trompe et il y a ici des bananes. » Il ne sait pas quoi faire d'autre avec sa trompe. Il ne prend pas le temps de peler les bananes ni d'observer tous les autres raffinements obligés, aux dires des professeurs de bonnes manières, quand on mange des bananes. Il prend le régime entier, ouvre grand la gueule et avale d'un trait les bananes — avec le pied et tout le reste. Puis il ramasse, sur l'étal suivant, une noix de coco qu'il enfourne après les bananes. On entend un craquement retentissant et l'éléphant se dirige vers un autre étal. Aucune menace ne peut calmer la trompe nerveuse.

Le dresseur avisé, qui connaît bien son éléphant, lui donnera simplement avant la procession une courte tige de bambou à tenir avec sa trompe. Alors l'éléphant défilera sans s'arrêter, la tête fièrement redressée, tendant droit devant lui la tige de bambou comme un tambour-major sa canne. Dès lors, ni les bananes ni les noix de coco ne l'intéressent : sa trompe a de quoi l'occuper*.

L'esprit humain se compare assez à une trompe d'éléphant. La plupart du temps, rien ne le garde occupé. Mais on peut le retenir d'errer dans le monde des pensées, des images et des fantasmes, en lui donnant simplement de quoi l'occuper : un mantra.

Le mantra aide à la concentration; il nous permet de passer par-dessus les distractions, y compris les mots et les pensées, même les pieuses pensées. Nous disons le mantra lentement, uniment et avec empressement. Quand nous constatons que notre esprit s'est égaré, nous revenons simplement à notre mantra. On n'atteint

---

* Nous traduisons (NdT).

pas à cette façon de prier par un simple effort de volonté. N'y mettez donc pas trop de volontarisme. Abandonnez-vous, relaxez. Nul besoin de combattre les distractions ni de lutter avec elles. Revenez simplement à la répétition du mantra.

John Main nous rappelle aussi qu'il est inutile de vouloir éliminer les distractions à force de volonté. En fait, il faut renoncer aux objectifs et à toute velléité d'accomplissement. Le mantra s'enracine dans notre conscience par la simple fidélité à revenir au mantra, chaque matin et chaque soir. La méditation nous concentre sur notre for intérieur et permet à Dieu de prier en nous.

Mais attention! La répétition d'un mantra n'apporte pas instantanément la paix, l'harmonie, l'absence de distractions ou le silence. Il faut accepter d'être là où on en est dans le pèlerinage de la méditation. Ne pas se laisser troubler par les distractions continuelles. Nous ne visons pas à nous libérer de *toute* pensée, ce qui constituerait, répétons-le, un objectif et nous n'avons que faire des objectifs. John Main nous recommande inlassablement de venir à la méditation sans la *moindre* attente. Ne vous démenez donc pas contre les distractions et ne vous en irritez pas. Le mantra manifeste simplement notre *ouverture* à Dieu et à sa présence qui nous habite.

Auteure française et apôtre de la vie spirituelle, décédée à 33 ans, en 1943, Simone Weil définissait la prière comme *attention*, comme *attente*. Le mantra nous conduit à l'attention. Autre auteur de spiritualité, Pascal dénonçait le plus grand ennemi de la prière dans le « sommeil » auquel ne savent résister les Apôtres à Gethsémani, au lieu de veiller avec Jésus. Pour Pascal, l'inattention et la somnolence sont ennemies de la prière. Le mantra nous aide à surmonter cette difficulté en éveillant notre attention.

Ne vous emportez pas devant les distractions. La méditation est une voie de prière non violente. Ignorez les distractions en revenant sans désarmer au mantra. Si vous êtes distraits cinquante fois par des pensées, pendant une période de méditation, et que vous retournez toujours au mantra, vous préférez ainsi cinquante fois Dieu aux distractions.

Ceux qui méditent font souvent état de ce que, même pendant la récitation du mantra, le processus de la pensée ne s'arrête pas. Il existe une expression pour décrire cela : la « double poursuite ». Il n'y a pas là non plus de quoi s'alarmer. À force de persévérance, le mantra se consolidera et les pensées se feront plus rares à mesure que se déroulera le pèlerinage de la méditation.

Lorsque nous sommes assaillis de pensées et d'images pendant un moment de méditation, il importe de nous rappeler que notre volonté capte néanmoins toujours la présence de Dieu. Il faut de la douceur et de la patience pour traiter les distractions. Il faut attendre, comme les vierges sages, avec patience et espérance. Douceur et patience dénotent que l'Esprit agit silencieusement en nous. Évidemment, nous sommes conscients des distractions, mais nous ne devrions jamais les laisser nous troubler. On peut même trouver du bon aux distractions : elles nous gardent éveillés et en marche. Elles entrent par une porte et sortent par une autre.

Malgré tous nos efforts, des pensées nous viennent. De bonnes pensées, de mauvaises pensées, des rappels

« urgents ». N'en tenons aucun compte. Contentons-nous de réciter silencieusement, sans arrêt, notre mot. Cherchons à ne plus penser. Cherchons à réciter sans arrêt notre mot. Répétons le mantra silencieusement et continuellement dans notre cœur. Le mantra nous mènera à la discipline, à la concentration, au silence, à Dieu.

Pourquoi est-il si souvent difficile de dire le mantra? La lumière au bout du tunnel

Certains grands saints, maîtres et philosophes, qualifient d'immense défi, parfois même de sobre martyre, le fait de parvenir à l'état d'immobilité. Le célèbre philosophe chinois Lao-Tseu (570-490 av. J.-C.) a jadis décrit en ces termes la manière de traiter les distractions :

> Celui qui est parvenu au comble du vide garde fermement le repos. Les dix mille êtres naissent ensemble; ensuite je les vois s'en retourner. Après avoir été dans un état florissant, chacun d'eux revient à son origine. Revenir à son origine s'appelle être en repos. Être en repos s'appelle revenir à la vie. (p. 37)

Saint Grégoire le Sinaïte (xive siècle) discourt de l'effort et du labeur sur ce sentier de prière et traite de la tentation d'abandonner devant la peine continuelle à dire le mantra. Mais il ajoute : « Persévère avec ténacité, et avec un désir très ardent cherche en ton cœur le Seigneur. » Et on lit dans *Le nuage d'incon-naissance* : « Mais c'est un dur travail qu'il aura, celui qui veut s'employer à cette œuvre, ah! sûrement, un vraiment dur travail[…]; fais donc ton travail, et je te fais promesse assurément qu'Il [Dieu] ne manquera pas au Sien » (p. 97-98). L'ermite du désert abba Agathon disait : « il n'y a pas d'effort plus grand que de prier Dieu. [...] Quelle que soit la bonne œuvre qu'entreprenne un homme, s'il y est persévérant, il y obtiendra du repos. Mais pour la prière, il lui faudra combattre jusqu'à son dernier soupir » (*Paroles des anciens*, p. 33). Que peut on ajouter d'autre sur le défi que représente la discipline de la méditation?

Cependant, un grand paradoxe apparaît ici. La voie apophatique de la prière, il est vrai, est souvent voie d'obscurité, voie d'inconnaissance; Dieu parfois semble avoir disparu et nous ne sentons plus sa présence. Mais cela s'accompagne aussi souvent de joie, de paix intérieure et de l'inébranlable conviction que nous trouverons Dieu dans l'aridité et la distraction, par la foi en sa présence. Nous ressentons une frustration, mais nous éprouvons néanmoins simultanément une mystérieuse et irrésistible attirance pour le Christ qui nous habite. Et, de temps en temps, Dieu nous révèle sa présence dans l'obscurité. C'est l'œuvre de la grâce.

John Main met le doigt sur une bonne raison pour laquelle il nous semble parfois si difficile de nous adonner à la méditation. Il nous rappelle ces mots de Jésus : « Qui aura assuré sa vie la perdra et qui perdra sa vie à cause de moi l'assurera » (*Mt* 10,39). Nous devenons souvent, comme le remarque le père John, des matérialistes en matière de spiritualité en cherchant à accumuler les grâces, les vertus et les mérites. On nous enseigne qu'il importe de réussir et de vaincre dans la vie, surtout pas de perdre. Or la méditation est un appel à l'abandon de tout désir, une dépossession, une reddition; elle consiste à vrai dire à perdre sa vie en Dieu.

La clé, c'est de ne pas se laisser angoisser à l'extrême par ce qui « se présente » sur cette route. Méditer exige qu'on se jette dans l'inconnu avec confiance. Pour chacun d'entre nous, Dieu a un projet et réserve un chemin particulier. Il a un itinéraire tout tracé. Nous devons consentir à *ne pas* voir la route qui nous attend. Nous devons renoncer à garder le contrôle, à savoir où nous en sommes dans le voyage. Cela fait partie de la mort de l'ego. Nikos Kazantzakis dépeint ainsi ce renoncement : « Dieu est feu et vous devez marcher sur le feu [...] y danser. Dès ce moment, le feu deviendra de l'eau fraîche. Mais avant d'en arriver là, quel combat, mon Dieu, quel supplice! »

L'expérience fréquente de la sécheresse et des distractions sans fin nous rappelle que le chemin de la méditation est chemin de foi pure. Dans la perspective chrétienne, obscurité et souffrance conduisent à la lumière et à la vie. Le prophète Esaïe nous ménage en ce sens des encouragements :

> Y a-t-il parmi vous quelqu'un [...] qui
> ait marché dans les ténèbres
> sans trouver aucune clarté?
> Qu'il mette son assurance dans le nom
> du Seigneur,
> qu'il s'appuie sur son Dieu (*Es* 50,10).

Saint Paul aussi nous rassure : « Dieu est fidèle; il ne permettra pas que vous soyez tentés au-delà de vos forces. Avec la tentation, il vous donnera le moyen d'en sortir et la force de la supporter » (*1 Co* 10,13).

Dieu est autant présent dans l'obscurité que dans la lumière. Il est tout aussi proche dans les moments de désolation que de consolation. Tout voyage spirituel comporte difficultés et déconvenues, mais le combat pour les surmonter et pour persévérer en vaut infiniment la peine. Les épreuves et les croix peuvent être déroutantes, mais Dieu obtient ainsi notre confiance, notre abandon et notre détachement dans notre cheminement spirituel. Lorsque nous crions dans notre faiblesse, nous entendons les paroles réconfortantes de Jésus à saint Paul : « Ma grâce te suffit; ma puissance donne toute sa mesure dans la faiblesse » (2 Co 12,9).

John Main nous donne néanmoins de l'espoir quand il observe que la récitation du mantra nous deviendra plus facile si nous persévérons dans notre démarche. Avec le temps, les pensées n'affluent plus autant et l'on goûte un plus grand sentiment de calme, d'immobilité, de paix intérieure. *Les récits d'un pèlerin russe*, un classique de la spiritualité russe, décrit avec justesse cette transition. Pendant un certain temps, le pèlerin « récite » son mantra, puis il découvre un jour soudainement que la prière « se récite d'elle-même » et qu'il l'entend spontanément monter et résonner en lui.

Il faut le répéter, cette « résonance intérieure » n'est possible qu'après une vie d'adhésion au pèlerinage méditatif. Le silence est un don gratuit de Dieu, on ne le *gagne* pas; il n'est pas non plus l'aboutissement obligé de la récitation du mantra. Seuls importent ici notre *désir* de Dieu, notre *générosité*, notre *ouverture* à sa présence et, par-dessus tout, notre *foi*. Laissons tout le reste dans les mains du Seigneur.

Chapitre 12

Le corps en méditation

*Rappelez-vous cette simple règle : le moment venu,
à la maison ou ailleurs, trouvez un coin tranquille.
Assoyez-vous le dos bien droit. Ne vous souciez pas
trop les premiers temps de technique. [...] assoyez-
vous le dos bien droit. [...] En matière de posture,
la règle essentielle est que la colonne soit aussi
droite que possible. Quant à la respiration, la règle
est simplement de respirer. Pas la peine de vous
énerver en vous demandant s'il faut inspirer ou
expirer. Inspirez et expirez! Enfin, et c'est la règle
la plus importante de toutes : dites votre mantra,
dites votre mot. Apprendre à le dire du début à la
fin, c'est tout l'art de la méditation.*

(John Main, *Le chemin de la méditation*, p. 163)

Comme dit le psalmiste, même le corps se languit
de prier : « Mon cœur et ma chair crient vers
le Dieu vivant » (*Ps* 84,3). Parce que nous
formons une seule entité — corps, âme et esprit — le
corps est le compagnon de l'âme et de l'esprit dans la
méditation. Pour cette raison, nous devons respecter,
soigner, aimer le corps et reconnaître l'union et

l'intégration du corps et de l'esprit. Saint Paul en est bien conscient, lui qui écrit dans la première épître aux Corinthiens : « le corps [...] est pour le Seigneur, et le Seigneur est pour le corps » (*1 Co* 6,13).

Dans la méditation, nous aspirons à l'harmonie du corps et de l'esprit. On comprend donc que la posture recommandée du dos bien droit joue ici un rôle important. Une posture adéquate peut nous aider à rester alertes et concentrés dans nos périodes de méditation quotidiennes. D'aplomb, alerte et immobile, le corps affermit et soutient l'esprit. Nous devrions nous asseoir confortablement, le dos bien droit, mais sans raideur ni tension.

Nous ne voulons surtout pas que le corps ressente de l'inconfort ou de la douleur pendant la méditation. Ce qui en soi constituerait une distraction et troublerait notre concentration dans la récitation du mantra. Cela dit, il ne fait pas de doute que, même malade ou souffrant, on peut méditer. En santé ou malade, bien-portant ou souffrant, le corps a pour mission de se mettre au service du Seigneur. S'adressant aux Romains, saint Paul écrit : « Je vous exhorte donc, frères, au nom de la miséricorde de Dieu, à vous offrir vous-mêmes en sacrifice vivant, saint et agréable à Dieu; ce sera là votre culte spirituel » (*Rm* 12,1).

Dans la méditation, nous tentons de garder le corps aussi immobile que possible en maintenant le dos en position bien droite. L'immobilité du corps a un effet sur l'immobilité de l'esprit : une adéquate posture assise favorise la vigilance, l'équilibre et l'harmonie de l'esprit. L'immobilité nous aide à prendre conscience que notre corps est sacré, est « le Temple du Saint-Esprit » (*1 Co* 6,19).

Le psalmiste ne dit-il pas : « près des eaux du repos il me mène, il me ranime » (*Ps* 23,2)?

Autre aspect important de la méditation : une respiration adéquate. Il est indiqué de prendre quelques profondes respirations avant de méditer et, pendant quelques instants, d'être attentif à sa respiration. La plupart des gens synchronisent leur récitation du mantra avec leurs inspirations et leurs expirations. (Sur la respiration, voir la section suivante.)

Personne ne songerait à mettre en doute l'importance qu'occupe la conscience du corps, dans la prière. Observez les moines chrétiens qui psalmodient l'office divin, les Indiens qui prient à l'aube sur les rives du Gange, les musulmans qui se prosternent devant Dieu dans leurs divers moments de prière chaque jour, les juifs au mur des lamentations ou les moines « assis » du bouddhisme zen. Saint Paul en a bien perçu l'importance, lui qui dit aux Corinthiens : « Glorifiez donc Dieu par votre corps » (*1 Co* 6,20).

Affinité entre yoga et méditation

Les enseignements hindouistes sur le yoga, vieux de cinq mille ans — particulièrement les méthodes de respiration *asanas* et *pranayama* du hatha-yoga — peuvent souvent être d'un grand secours pour prédisposer, en méditation, l'esprit/corps au silence et à la quiétude. Le père Bede Griffiths, moine bénédictin de regrettée mémoire, croyait foncièrement qu'en christianisme on avait tendance à déprécier le corps et les sens, et à exalter la faculté de penser et la volonté comme uniques sources de transformation spirituelle. Il est toutefois urgent, ainsi que le relève le père Bede, de reconnaître la place de la matière et du corps dans le processus de croissance spirituelle. Les grands maîtres du yoga ont depuis toujours fait valoir que le cheminement spirituel est impossible sans le corps, dont Dieu nous fait don à la naissance et qui nous accompagne jusqu'à la mort.

Les origines du yoga se perdent dans la nuit des temps. Environ deux mille cinq cents ans avant le Christ, les Védas — les Écritures indiennes — mentionnent le yoga que l'on pratiquait vraisemblablement à une date antérieure. Les yogis de l'antiquité avaient intimement saisi que la démarche spirituelle exige l'épanouissement intégré et l'indispensable équilibre du corps, de l'âme et de l'esprit.

Il importe cependant de noter que la pratique du yoga n'est pas essentielle à ceux qui empruntent le sentier de la méditation; en fait, même les sages yogis de l'Inde ne la recommandent pas à tous. Le yoga aide simplement ceux qui l'adoptent à préparer leur corps à la discipline de la méditation.

Dans une vidéo de trente-six minutes, Mary Stewart et Giovanni Felicioni montrent comment une bonne respiration et une bonne posture assise de yoga permettent l'intégration sans heurt du corps, de l'âme et de l'esprit dans la méditation. Cette vidéo s'intitule *The Body in Meditation : Yoga Exercices for the Christian Meditation*. On y présente les *asanas* (exercices) de hatha-yoga comme des préliminaires à la méditation. On peut se procurer cette vidéo en s'adressant à la Communauté mondiale de méditation chrétienne (23 Kensington Sq., London, W8 5HN) et chez des détaillants, dans divers pays.

La posture dans la prière

Blaise Pascal, apologiste chrétien de la France du XVIIᵉ siècle, disait un jour : « Tous les ennuis de la vie fondent sur nous pour ce que nous refusons de nous asseoir en silence, un moment chaque jour, dans notre chambre. » Un aphorisme bouddhiste zen sur la méditation se lit comme suit : « Tu es assis [...], et l'herbe pousse plus verte. » Comment oublier l'apophtegme qui met en scène saint Sérapion le Sidonite, un Père du désert de l'Égypte du IVᵉ siècle? Un jour qu'il se trouvait en pèlerinage à Rome, on lui parla d'une recluse renommée, une femme qui vivait dans une seule petite pièce sans jamais en sortir. Sceptique sur son mode de vie, parce que lui-même était un voyageur impénitent, Sérapion rendit visite à la recluse et lui demanda : « Pourquoi restes-tu assise ici? » Ce à quoi elle répondit : « Je ne suis pas assise. Je suis en voyage. »

Ceux qui associent la prière avec l'habitude précocement acquise de s'agenouiller pour prier pourront juger étrange, au premier abord, de s'asseoir pour méditer. C'est pourtant une antique coutume dans la plupart des religions du monde. Depuis cinq mille ans, les hindous méditent assis, dans la position du lotus. Les bouddhistes zen sont particulièrement réputés pour leur « posture assise » en méditation. En christianisme, au début du IVᵉ siècle, les moines du désert s'assoyaient pour tresser des paniers, ou pour coudre, pendant qu'ils récitaient un mantra biblique. L'ermite et contemplatif anglais du XIVᵉ siècle, Richard Rolle, a peut-être le mieux résumé la question dans le monde chrétien :

Assis au repos je suis
mon cœur prend son envol
j'adore m'asseoir ainsi
j'en aime Dieu plus
et je reste
plus longtemps dans le doux
amour que si j'étais
marchant debout ou à genoux.

Nous asseoir le dos bien droit en méditation nous permet de respirer librement en disant notre mantra. La position assise est signe de réceptivité, d'abnégation et particulièrement de « repos en Dieu ». La position assise est la posture idéale pour la méditation parce qu'elle nous enracine dans une attitude d'attention prévenante, tout en nous permettant simultanément d'être détendus. Sainte Thérèse d'Avila disait : « Point n'est besoin d'ailes pour nous mettre en quête de Dieu; il suffit de trouver un endroit où nous pouvons nous *asseoir* seule et envisager Dieu présent au-dedans de nous. » Voilà une bonne définition de la méditation chrétienne, mais prenez note de l'importance que la sainte accorde à la position *assise*.

En outre, le corps immobile en position assise prédispose l'esprit à l'immobilité. Il faut ici toutefois faire montre de prudence. Le fait d'aborder trop rigoureusement la position assise, avec l'appréhension maladive de bouger, peut aussi être cause de distraction. Il faut parvenir à un équilibre et faire simplement de son mieux, dans une période de méditation donnée, pour garder le corps immobile en position assise. L'idéal est d'adopter une position assise confortable, ce qui permettra de rester immobile autant que faire se peut pendant la méditation. Pour tenir cette position, il faut s'asseoir bien droit et garder dans le même alignement le dos et le cou, mais sans tension ni rigidité.

Quand vous choisissez une chaise, assurez-vous que vos pieds reposent à plat sur le sol. Si le siège est trop haut, placez un coussin ou un livre sous vos pieds. Une fois posés sur le sol, les pieds doivent être parallèles aux chevilles. La chaise à dossier droit est le meilleur choix, mais son confort dépend souvent de la hauteur du siège et de l'inclinaison du dossier. Muni d'accoudoirs, un fauteuil empêchera le méditant de pencher de côté. On optera de préférence pour un siège sur lequel on peut rester alerte, tout en étant à l'aise. Dans la mesure du possible, il vaut mieux ne pas laisser la colonne s'appuyer au dossier.

Les prie-Dieu et les tabourets de prière sont très populaires de nos jours parce que les jambes et le dos trouvent ainsi une position confortable dans une autre posture qui dispose symboliquement à la prière.

Si on préfère, on peut s'asseoir sur le bord d'un coussin ferme plutôt que directement sur le sol. La tête doit rester alignée avec le tronc; le coussin choisi ne sera donc pas trop épais et ne forcera pas le tronc vers l'avant. On n'allongera pas les jambes, mais on les repliera plutôt. Douleur et engourdissement peuvent être cause de distraction tant qu'on n'a pas acquis une certaine flexibilité dans cette position. On ne doit jamais projeter vers l'avant le menton, mais plutôt le rentrer doucement. Les épaules sont détendues, sans être affaissées. Les mains reposent sur les genoux ou le bas-ventre.

Respiration et méditation

John Main, on l'a mentionné plus tôt, disait un jour avec son humour irlandais : « Quant à la respiration, la règle est simplement de respirer » (*Le chemin de la méditation*, p. 163). Loin de déprécier le rôle de la respiration, John Main avait pleinement conscience de son importance, spécialement dans l'exercice d'intégration du souffle et de la récitation du mantra. La méditation chrétienne ne peut être vraiment une prière de tout l'être qu'à la condition expresse d'inclure le corps.

Vu l'importance de l'équilibre corps, âme et esprit dans la méditation, on recommande une bonne technique de respiration à qui fait ses débuts dans la pratique quotidienne. « Si la respiration est irrégulière, dit un aphorisme hindou, l'esprit est irrésolu; si la respiration est calme, l'esprit est également calme. » Le souffle physiologique est un symbole scripturaire de l'Esprit de Dieu.

De très nombreuses personnes qui s'adonnent à la méditation ont un problème de respiration : elles n'utilisent jamais leurs poumons à pleine capacité; seule une petite proportion des soixante-dix millions d'alvéoles de leurs poumons est mise à contribution. Certains méditants ont tendance à respirer superficiellement par la bouche et font peu usage du diaphragme (de l'abdomen) quand ils inspirent. Conséquemment, seule la partie supérieure des poumons entre en action et une faible quantité d'oxygène est inhalée. De la tension résulte généralement de rapides respirations superficielles qui n'engagent que la partie supérieure des poumons. Dans la méditation, nous aspirons à une respiration abdominale, lente et plus profonde. À la lumière de son conseil aux Romains — « avec vos membres comme armes de la justice, mettez-vous au service de Dieu » (*Rm* 6,13) — il semble que saint Paul comprendrait le processus.

Dans la méditation, la respiration devrait être une activité physiologique lente, au rythme naturel, qui met à contribution tout le torse. Bien respirer signifie idéalement inspirer par le nez, bouche fermée, en emplissant et en vidant successivement à fond les poumons. L'expiration devrait normalement durer deux fois plus de temps que l'inspiration. Plus on exhale d'air vicié, plus on peut inhaler d'air frais. L'inspiration doit être calme et profonde. La respiration profonde calme le système nerveux.

Coordonner récitation du mantra et fonction respiratoire (inhalation/exhalation) semble venir naturellement et spontanément à presque quiconque médite. Cela ne nécessite souvent aucun effort conscient. Peut-être est-ce la raison pour laquelle John Main hésitait à s'appesantir sur quelque méthode particulière de respiration. Il s'était rendu compte que, sans le moindre effort conscient de leur part, la plupart des méditants accordent spontanément la récitation de leur mantra avec leur respiration.

Pour le bénéfice des nouveaux venus qui souhaiteraient avoir une idée de la manière d'accorder leur mantra avec leur respiration, voici quelques façons de s'y prendre avec le mantra ma-ra-na-tha. De grâce, gardez à l'esprit que des individus différents, compte tenu de leur capacité pulmonaire personnelle, n'opteront pas pour la même solution. Il n'existe pas de manière de *bien* s'y prendre. Certains, par exemple, disent tout le mantra en inspirant, et expirent en silence. D'autres disent « ma-ra » en inspirant et « na-tha » en expirant. Il existe d'autres combinaisons qui, encore une fois, dépendent généralement de la capacité pulmonaire.

Le plus important? Arrêter un modèle rythmique commode de récitation du mantra en conjonction avec la respiration et incorporer cette discipline dans sa pratique de la méditation. Pour bien des gens, répétons-le, cela ne requiert aucun effort conscient.

Les bienfaits physiologiques de la méditation

Si l'état de vos dents laisse à désirer, vous reprendrez peut-être courage à la lecture de cette manchette récente d'un journal nord-américain : « Méditer quarante minutes par jour peut aider à combattre la carie dentaire. » Selon l'article, des études démontrent que les méditants ont une salive qui, plus faible en acide et en bactéries, combat la carie dentaire.

Ou que penser de ceci? Le journal *USA Today* rapportait récemment les déclarations du docteur Herbert Benson, auteur de nombreux ouvrages sur la méditation : « 34% des patientes stériles deviennent enceintes en moins de six mois, 78% des insomniaques retrouvent le sommeil et les consultations médicales pour des douleurs diminuent de 36% — tout cela grâce à des périodes de méditation sur une base régulière ». Fascinantes affirmations, mais prenez-les donc avec un grain de sel spirituel.

Plus sérieusement, nous savons que les scientifiques ont mené d'innombrables études cliniques sur les méditants, études qui concluent à une plus faible consommation d'oxygène pendant la méditation, à des taux inférieurs de lactase sérique (par relaxation), à une pression artérielle systolique et diastolique plus basse, à un pouls moins rapide, à une relaxation des tensions musculaires et à un sursaut du système immunitaire.

Comme nous constituons une entité — corps, âme et esprit — nous pouvons accueillir avec satisfaction et reconnaissance ces effets secondaires de la méditation, salutaires pour l'organisme. Il importe toutefois de garder en tête que tous les bienfaits physiologiques de la méditation restent très secondaires ou, pourrait-on dire, sont des *signes* de la méditation plutôt que son essence.

Dans les deux cents heures d'enregistrement de ses causeries sur la méditation chrétienne, John Main fait rarement état d'un bienfait physiologique imputable à la méditation. De toute évidence, une baisse de la pression artérielle ou de la consommation d'oxygène paraissait, aux yeux de John Main, bien insignifiante à qui voit dans la méditation un chemin spirituel le conduisant en présence du Christ qui habite en lui. En d'autres mots, le père John jugeait nécessaire de garder le sens des priorités. La méditation est fondamentalement une discipline spirituelle pénétrée de foi et il faut tenir pour très accessoire tout effet secondaire physiologiquement salutaire.

Les méditants s'avisent néanmoins souvent d'un regain de vitalité et d'énergie, constatation qui a donné naissance à l'aphorisme : « Les journées des méditants comptent vingt-cinq heures. » En d'autres mots, l'heure que nous consacrons à la méditation n'est pas du temps perdu puisque nous récupérons, semble-t-il, notre investissement de temps avec des intérêts, et cela jusque sur le plan physiologique.

Chapitre 13

La pratique de la méditation chrétienne

*Le message central du Nouveau Testament est [...]
qu'il n'existe à vrai dire qu'une seule prière et que
cette prière est la prière du Christ. C'est une prière
qui se poursuit jour et nuit dans nos cœurs. [C'est]
un torrent d'amour qui circule constamment entre
Jésus et son Père. Le Saint-Esprit est ce torrent
d'amour.*

*Toute existence pleinement humaine a pour tâche
la plus importante de s'ouvrir autant que possible
à ce torrent d'amour. Il faut laisser cette prière
devenir notre prière, il faut nous associer à cette
expérience d'être arrachés à nous-mêmes, d'être
emportés au-delà de nous-mêmes dans cette
merveilleuse prière de Jésus, ce grand fleuve cos-
mique d'amour.*

*Pour ce faire, il nous faut maîtriser, par une dis-
cipline des plus exigeantes, une voie qui en est une
de silence, d'immobilité. Comme si nous devions
créer en nous un espace où un état de connaissance
supérieur — celui de la prière de Jésus — puisse
nous envelopper dans son puissant mystère.*

(John Main, *Le chemin de la méditation*, p. 14)

Heure et lieu de la méditation

L e matin et le soir sont traditionnellement des moments de prière dans la plupart des religions du monde, y compris en christianisme. Dans la tradition monastique chrétienne, la journée commence avec Laudes (prière du matin) et se termine avec Complies (prière du soir).

Le matin, la nature est généralement calme, reposée; selon la plupart des gens, il n'y a pas meilleur moment pour méditer qu'immédiatement après s'être levé, avant le petit déjeuner et les activités de la journée. John Main estimait toujours préférable de méditer avant plutôt qu'après un repas. Le matin, Dieu est notre toute première priorité. L'appel à entrer dans le monde de l'immobilité a préséance sur les appels du monde extérieur.

La période de méditation vespérale représente habituellement un plus grand défi pour la plupart des gens. Parce que chaque existence est différente, il est difficile de proposer des lignes de conduite universelles pour ce moment de méditation vespérale. Il serait également souhaitable, dans la mesure du possible, de méditer avant le repas du soir et avant que s'amorce le processus de digestion. Ce n'est cependant pas toujours possible et bien des gens optent pour une heure plus tardive, en soirée. Certaines personnes sont des « oiseaux de nuit »; elles sont donc largement éveillées et concentrées jusque tard le soir. Pour d'autres, méditer en fin de soirée aura simplement pour résultats somnolence et « endormissement ».

Fixer un moment pour méditer demande parfois de l'ingéniosité. Une mère de neuf enfants, adepte de la méditation, se réserve une demi-heure magique au beau milieu de l'après-midi, tandis que certains de ses enfants dorment et que les autres ne sont pas encore de retour de l'école. À cause de l'agitation et des occupations de la journée, peut-être aussi de la fatigue, il est parfois indiqué de prendre une douche avant la méditation du soir, à tout le moins de s'asperger d'eau le visage. Régularité et ponctualité sont deux aspects importants de la méditation du matin et du soir. On aura avantage à faire des expériences pour se forger un rythme et un horaire réguliers de méditation quotidienne.

Il est par ailleurs recommandé (autant que possible) de méditer chaque jour dans le même lieu. L'idéal est de méditer en un lieu déterminé qui s'impose pour sa tranquillité : un endroit où simplement *être*. L'un optera pour le sous-sol, ou peut-être un coin de la cuisine avec vue sur des arbres et des fleurs; un autre libérera une petite pièce qu'il meublera d'un tabouret de prière et d'une petite table sur laquelle reposeront une chandelle et une bible. Quand l'occasion se présente, certains aiment méditer en plein air dans les jardins, les parcs, sur les rives d'un cours d'eau ou en d'autres lieux où ils se sentent proches de la nature.

Il vous faudrait au moins une pièce, ou un coin, où personne ne vous trouvera, ne vous importunera ni ne remarquera votre présence, disait Thomas Merton. Vous devriez pouvoir vous extraire du monde et recouvrer votre liberté, dénouer tous les fils et les écheveaux subtils de tension qui vous brident par la vue, l'ouïe ou la pensée.

Notre cadre de vie peut certainement nous aider à atteindre à l'immobilité. Et notre lieu de prière signalera souvent aux autres membres de la famille qu'on ne doit pas nous déranger dans nos moments de méditation. Il faut donner la priorité non seulement à nos périodes de méditation quotidiennes, mais à notre environnement spirituel.

Les enfants et la méditation

Certains enfants semblent se mettre à la méditation comme si cela leur était naturel. Les enfants *peuvent* non seulement méditer, ils en *ont besoin* dans leur vie quotidienne. De nos jours, les enfants sont soumis au stress, à la tension, à la compétition, au bruit, à l'activité souvent trépidante et à la surexcitation. Ils ont donc besoin d'équilibrer leur vie par l'immobilité intérieure. Et, fait intéressant, parents et enseignants constatent que, si on les encourage à méditer, les enfants en viennent à chérir leurs périodes d'immobilité quotidiennes. Ils trouvent bon qu'existe un endroit où il suffit d'« être ». Au surplus, ils semblent moins s'observer eux-mêmes que les adultes et, avec leur foi inconditionnelle, ils parviennent aisément à imposer l'immobilité intérieure à leurs sens extérieurs.

Bien des enfants méditent avec leurs parents. La *vue* de leurs parents en méditation et les fruits manifestes de la pratique quotidienne de leurs parents les y inclinent tout bonnement. Les effets sur les enfants de l'influence de parents qui méditent peuvent être incalculables. Les petits enfants risqueront souvent un œil dans la pièce de méditation pour voir ce qu'y font leurs parents. Ils établiront vite le lien entre une mère ou un père plus patient, enjoué et tendre, et la pratique quotidienne de la méditation par ce parent.

De quelle durée devrait être la méditation d'un enfant? La méthode empirique prescrit une minute de méditation pour chaque année de vie. À Dublin, un groupe de méditation chrétienne pour enfants, qui réunit hebdomadairement vingt garçons et filles de treize, quatorze et quinze ans, médite pendant quatorze minutes. Le responsable du groupe leur propose un certain nombre de mantras.

On dit toutefois qu'il n'y a pas meilleur moment pour initier un enfant à la voie de la méditation que pendant qu'il se développe dans l'utérus. Nous savons maintenant que le fœtus est éveillé et sensible aux dispositions affectives de sa mère — qu'il s'agisse de colère, de stress, de calme ou d'impassibilité. Une mère qui médite communique de manière intuitive son immobilité intérieure pacifiante à son enfant. Les bienfaits de l'initiation du jeune enfant à la méditation deviendront même plus patents dans les premières années de sa vie adulte.

Pour initier les enfants à l'immobilité dans la méditation, on peut entre autres recourir à la dramatisation de récits bibliques. Le parent ou l'enseignant peut, par exemple, relater le passage où, dans les évangiles synoptiques, Jésus sommeille dans la barque. Une forte tempête se lève, accompagnée de vents violents et de vagues gigantesques. Les Apôtres sont terrorisés; ils redoutent que la barque soit submergée. Ils crient à Jésus de les sauver. Jésus se réveille et dit : « Pourquoi avez-vous peur? » (*Mt* 8,26) Puis il commande aux vents et aux flots de « se calmer ». À ce moment du récit, le parent/enseignant peut suggérer : « Maintenant, prenons quelques instants dans le calme, l'immobilité, et laissons Dieu être avec nous ». Bien entendu, il est également important d'expliquer aux enfants que, si Jésus était présent dans les récits bibliques, il l'est pareillement aujourd'hui en esprit, au-dedans de nous.

Pour une réflexion plus exhaustive sur les enfants et la méditation, on se reportera au livre de sœur Madeleine Simon, intitulé *Born Contemplative.*

Méditation et autohypnose

On demande souvent si la méditation chrétienne est une forme d'autohypnose. Elles sont en fait diamétralement opposées. L'autohypnose est une expérience qui poursuit un objectif par voie d'auto-suggestion, une expérience qui vise à renouveler les sentiments du sujet, ses pensées, ses fantasmes et son bien-être général. L'autohypnose s'allie à l'imagination pour convoquer, en recourant aux sens, des images mentales « autoguidées ». Elle s'apparente un peu à la rêverie; elle utilise les pensées et l'imagination pour définir la réalité et modifier l'état d'esprit du sujet. C'est un exercice où l'on s'observe de près, où l'on est très absorbé par soi-même. Un ouvrage récent sur l'autohypnose la dit en mesure de soulager céphalées et asthme, d'aider qui veut cesser de fumer, perdre du poids ou se débarrasser de peurs paralysantes.

Pour sa part, la pratique de la méditation chrétienne ne poursuit pas d'objectif; elle est centrée sur Dieu et entend nous introduire dans le mystère qui transcende les pensées, l'imagination et les émotions. C'est une voie de prière qui conduit graduellement au-delà de l'observation de soi-même. Dans la méditation nous arrivons à éprouver le sens véritable de ces paroles de

Jésus : « Si quelqu'un veut venir à ma suite, qu'il se renie *lui-même* » (*Mt* 16,24).

Des études cliniques sur les ondes cérébrales émises pendant la méditation montrent qu'elles diffèrent substantiellement des ondes enregistrées pendant le sommeil ou sous quelque forme d'hypnose.

Musique et méditation

Écouter de la musique qui exerce un effet apaisant peut se révéler un excellent moyen de se préparer aux périodes quotidiennes de méditation silencieuse. Fermement convaincu que la mélodie et le rythme restaurent l'harmonie dans l'âme humaine, le philosophe grec Pythagore (582-500 av. Jésus Christ) chantait d'apaisantes mélodies à ses disciples. Selon son biographe, Pythagore affirmait que la musique « contribue grandement » à la santé — qu'elle tempère, en soirée, « troubles et désordres » de la journée et qu'elle libère, en matinée, « de l'engourdissement et de la torpeur nocturnes ». Le premier livre de Samuel relève que la musique du jeune David atténuait les accès de dépression du roi Saül.

Sur le plan physiologique, il a été démontré que la musique exerce des effets bénéfiques sur la pulsation cardiaque, le rythme respiratoire, la pression artérielle, la fréquence du pouls, les taux d'hormones et la fonction immunitaire. Peut-être plus que toute autre forme d'art, la musique a la vertu de créer instantanément une ambiance, une atmosphère et, en élevant l'âme, elle agit de manière bénéfique sur l'esprit.

Ce qui explique peut-être pourquoi plusieurs responsables de groupes de méditation chrétienne et plusieurs méditants en solitaire aiment ouvrir leur période de méditation et la clore en faisant jouer une musique appropriée. Pour venir en aide aux méditants, le Christian Meditation Centre[2] a produit et vend de nombreux enregistrements de musique classique légère, de chant choral et grégorien[3]. Ces enregistrements se composent d'une introduction de deux minutes et demie de musique, de vingt-cinq minutes de silence auxquelles succèdent, pour conclure, deux minutes et demie de musique. Les méditants qui disposent d'un magnétophone à deux têtes de lecture créent souvent eux-mêmes leurs cassettes en fonction de leurs préférences musicales. Cette méthode de chronométrage musical présente un avantage additionnel : on n'est plus alors perturbé par le timbre assourdissant des minuteries automatiques et on n'a plus à consulter sa montre pour déterminer la fin d'une période de méditation.

L'importance du « cœur » dans la méditation

Adieu, dit le renard. Voici mon secret. Il est très simple : on ne voit bien qu'avec le cœur. L'essentiel est invisible pour les yeux.

(Antoine de Saint-Exupéry [1900-1944],
Le Petit Prince, p. 72)

On désigne souvent la méditation par l'appellation « prière du cœur ». Quelle meilleure définition peut-on donner du cœur, sinon peut-être qu'il est le centre intime, le noyau de l'être, le lieu de l'unité — là où corps, âme et esprit ne font qu'un. Nous disons souvent

---

[2] 29 Campden Hill Road, Londres.

[3] On peut se les procurer au Canada à l'adresse suivante : Box 376, Thessalon, Ontario P0R 1L0.

vouloir en venir au *cœur* du sujet. Le cœur est le *centre* de la personne, centre à partir duquel nous entrons en relation avec Dieu et avec les autres. « Or le centre de l'âme, c'est Dieu », écrit saint Jean de la Croix (*La vive flamme d'amour*, dans *Œuvres spirituelles*, p. 920). Qui fait « quelque chose avec son cœur » le fait avec ses tripes, du fin fond de lui-même.

Le cœur est aussi un concept biblique riche de sens. Ézéchiel dit que la dureté de cœur est un péché et qu'il nous faut un cœur « contrit ». Saint Paul prie pour que le « Christ habite en [n]os cœurs […] dans l'amour » (*Ep* 3,17). Suivant l'interprétation sémitique de l'Ancien Testament, le mot *cœur* renvoie aux abîmes de l'être intime où l'amour engendre le sacrifice de soi pour l'aimé.

On reconnaît dans le cœur l'« être intérieur ». Le cœur est le centre spirituel de notre être, là où Dieu vit. L'Écriture nous dit que le cœur est la source de la prière. Le cœur a aussi partie liée avec « l'ouverture ». Quand nous disons « Aie un peu de cœur! », nous voulons dire « Fais montre d'ouverture avec moi, sois aimable, sois réceptif ». Quand nous sommes enthousiastes, nous adhérons et nous nous vouons totalement à quelqu'un ou à une cause. D'une personne inflexible ou fermée, nous disons qu'elle a un cœur de pierre ou de glace. Quand nous avons affaire à une personne au cœur généreux, nous savons qu'elle nous traitera avec bonté, qu'elle partagera nos chagrins et nos joies.

C'est dans notre cœur que nous nous éveillons à nous-mêmes et à Dieu. Peut-être est-ce la signification la plus profonde du cœur. Nous, méditants, nous disons que Dieu touche notre cœur ou que nous nous mettons en quête de Dieu dans le silence et l'immobilité du cœur. Quand on donne son cœur à quelqu'un, on se donne complètement. C'est pour cela que nous appelons souvent « prière du cœur » la méditation, parce que nous nous donnons complètement au Christ dans la partie la plus secrète de notre être spirituel : notre cœur. La méditation est le lieu où nous rencontrons Dieu dans les abîmes de notre cœur.

On a aussi défini le cœur comme « le fondement psychologique le plus profond de la personne » et comme « la racine et la source premières de la vérité intérieure de l'être ».

L'expression « prière du cœur » nous vient des Pères du désert; elle signifie la reddition totale à Dieu du priant, une fois qu'il a abandonné ses images mentales de Dieu et établi « l'intellect dans le cœur » (Higoumène Chariton, p. 59-61). On a défini la tradition hésychaste des moines du désert comme une « tension vers Dieu » avec l'intime conviction, toutefois, que la prière est en fin de compte l'œuvre de la Trinité intérieure qui prie au-dedans de chacun. Les premiers moines se représentaient le cœur comme une « pointe immobile » où Dieu et l'homme se rencontrent en silence dans l'abnégation et le don de soi.

Faut-il retirer ses chaussures quand on médite?

Une tradition séculaire veut qu'on retire ses chaussures pendant la méditation. Dans l'Ancien Testament, Moïse rencontre Dieu présent dans le buisson ardent. Dieu lui adresse d'abord cet ordre : « Retire tes sandales de tes pieds, car le lieu où tu te tiens est une terre sainte » (*Ex* 3,5). Certains méditants aiment observer cette coutume de retirer leurs chaussures « en terre sainte », pendant leurs périodes de méditation. Mais cela n'est nullement une obligation. Pour certaines personnes, cette tradition serait une cause de distraction.

Certains méditants, faut-il le redire, considèrent leur salle de méditation comme un sanctuaire, un lieu saint, et il leur semble aller de soi de retirer leurs chaussures susceptibles d'y importer les souillures de la rue. D'un point de vue pratique, on peut trouver simplement plus confortable de retirer ses chaussures. Chaque méditant devrait cependant se sentir libre de sa décision en la matière.

Méditer plus de deux fois par jour

L'enseignement traditionnel, spécialement celui destiné aux nouveaux venus, suggère de donner priorité à l'incorporation de la méditation matinale et vespérale dans l'horaire de vie du méditant. On n'en demande pas plus aux personnes affairées à qui incombent des responsabilités familiales ou communautaires. Il faut commencer en douceur et adhérer simplement à la discipline spirituelle biquotidienne.

Après que vous aurez médité régulièrement et fidèlement un certain temps, et à la condition que vos obligations vous en laissent le loisir, n'hésitez surtout pas à ajouter une période de méditation méridienne si vous le désirez. Dès qu'est établie une discipline en ce domaine, la planification se fait plus naturellement. L'Esprit sera le maître en la matière. John Main souligne cependant la nécessité de veiller à ne pas adopter une vision matérialiste de la méditation : si deux séances sont profitables, se dit-on, alors pourquoi pas trois et si trois sont profitables, pourquoi pas quatre, et ainsi de suite. Il n'est pas nécessairement préférable de *multiplier* les périodes de méditation.

S'endormir pendant la méditation

Quand nous méditons, nous tentons de conjuguer deux attitudes très opposées : être alertes, mais aussi, et en même temps, relaxés. Si nous nous assoupissons en méditant, c'est que la relaxation a pris le pas sur la vigilance et la concentration. Cela se produit habituellement lorsque nous faisons nos premiers pas sur le chemin de la méditation. Plus nous persévérons dans cette discipline et plus s'accroît notre attention à la récitation du mantra, à l'écoute de la *résonance* du mantra, plus s'affinent notre vigilance, notre silence, et moins nous avons tendance à nous assoupir.

Méditer tard le soir, dans un état de fatigue extrême, peut être cause d'endormissement. Certains méditants « noctambules » sont néanmoins très alertes et pleinement éveillés tard le soir. Consommer de l'alcool ou un repas lourd avant la méditation peut aussi induire un manque d'attention vigilante au mantra et l'assoupissement. Notre posture et notre respiration peuvent aussi grandement nous prédisposer à la somnolence pendant la méditation. (Sur le corps en méditation, voir le chapitre 12.)

Redisons-le : pour combattre la torpeur et la fatigue, aspergez-vous la figure d'eau froide avant de méditer; si nécessaire, n'hésitez pas à prendre un bain ou une douche. Il faudra cependant parfois chasser la somnolence et se faire violence pour rester alertes. Si vous sentez venir un « assoupissement », vérifiez votre posture et votre respiration, et efforcez-vous sciemment de régler le problème.

On ne doit toutefois jamais se sentir coupables de s'être endormis. Dieu nous aime endormis ou éveillés. Notre rôle se limite à faire l'effort de rester éveillés, en mémoire des paroles de Jésus à ses disciples : « Ainsi vous n'avez pas eu la force de veiller une heure avec moi! » (*Mt* 26,40)

Phénomènes psychiques, visions et voix

En accord avec les grands maîtres de la méditation au fil des siècles, John Main jugeait que le méditant doit traiter comme des distractions toutes espèces de phénomènes psychiques — visions, voix, odeurs célestes, clairvoyance, lévitation — qui se présentent à lui et revenir en douceur à la récitation du mantra. N'a-t-il pas déjà dit : « Nous ne nous adonnons pas à la méditation pour faire l'expérience d'une expérience »?

Saint Jean de la Croix suggérait de résister à ces expériences et de fuir tous les phénomènes du genre :

Or il faut savoir que si tous ces effets qui peuvent se produire dans les sens corporels ont Dieu pour auteur, on ne doit jamais les regarder avec sécurité et les accepter; il faut plutôt les fuir complètement, sans même chercher à examiner s'ils procèdent du bon ou du mauvais principe. D'ailleurs, plus ils sont extérieurs et corporels, moins il est certain qu'ils viennent de Dieu. [...] Il se trompe donc beaucoup celui qui estime ces sortes de faveur, et il se met dans un très grand danger de tomber dans l'illusion; du moins il mettra en lui un empêchement absolu à devenir vraiment spirituel. (*La montée du Carmel*, dans *Œuvres spirituelles*, p. 138)

L'automystification et l'orgueil spirituel sont presque à coup sûr associés à ces sortes d'expériences. Notre ego pourrait même s'attacher peu à peu à l'un ou l'autre de ces phénomènes parapsychologiques, ce qui constituerait une puissante entrave à notre croissance spirituelle. La règle générale est d'ignorer ces phénomènes. La méditation chrétienne est sentier de foi pure, voie d'inconnaissance et souvent chemin d'obscurité. Les phénomènes psychiques, en cours de méditation, ne sont que des distractions.

Bien sûr, des grâces et des dons spirituels nous sont dispensés à certains moments dans notre cheminement spirituel. Ils peuvent parfois nous apporter encouragement et consolation; d'autres fois ils agissent comme des *touches* qui nous invitent à chercher Dieu avec plus de ferveur. Comment distinguer ce qui vient de Dieu de ce qui est hallucination, ce qui est réalité de ce qui est irréalité? Si on du mal à y voir clair, un guide spirituel pourra aider à discerner leur source réelle (sur les guides spirituels, voir le chapitre 20). On peut aussi chercher conseil au sein de son groupe de méditation chrétienne.

Une bonne méthode empirique consiste à se montrer circonspect, à ne pas attribuer au Saint-Esprit toutes espèces d'expériences et à ne jamais rechercher pareilles *expériences* en méditation. Il faut aborder la voie de la méditation sans objectifs ni attentes. L'authenticité de la prière contemplative ne se mesure pas aux « expériences spirituelles », mais à la recherche de la volonté de Dieu, à la reddition à son amour.

L'omission d'une période de méditation quotidienne

Faut-il se sentir coupable d'omettre une période de méditation? La seule chose dont on doit se sentir coupable, c'est de se sentir coupable! Les chrétiens souffrent déjà suffisamment de culpabilité religieuse — point n'est besoin d'ajouter au poids de leur culpabilité.

La fidélité à la méditation matinale et vespérale est importante. Il surviendra néanmoins des moments où, en raison des circonstances ou par manque de discipline, nous sauterons une période de méditation. Il faut du temps pour établir une discipline et la discipline est chemin de liberté, non de contrainte. Les méditants disent souvent ressentir que quelque chose manque à leur journée lorsque cela leur arrive. Mais de grâce, que l'omission soit délibérée ou non, ne vous sentez pas coupables. Revenez simplement le lendemain, avec un zèle renouvelé, à votre cheminement. L'important est la persistance à long terme. Un faux sentiment de culpabilité n'a pas sa place sur le sentier de la méditation chrétienne. Jésus nous invite au repentir, pas à la culpabilité.

Le silence intérieur n'est pas un vide

On se pose bien des questions sur l'esprit en méditation. Cherche-t-on, dans la méditation chrétienne, à nettoyer l'esprit ou à le vider? Purger l'esprit peut-il être dangereux? Cela me rendra-t-il vulnérable à des forces ou à des influences indésirables?

Le silence intérieur auquel nous nous rendons disponibles dans la méditation est imprégné de la présence de Dieu. Parfois, il ne s'agit pas d'une présence *sensible*; mais la science particulière, que nous appelons la foi, explique notre capacité de « savoir », dans nos moments de méditation, que la Trinité qui nous habite vit et prie activement au-dedans de nous. En réalité, prier n'est pas *faire*, mais *être*. Prier ne consiste pas à se vider l'esprit ou à rendre vacant son être intérieur.

La répétition de notre mantra nous gardera alertes, concentrés et libres de toute forme de vide ou d'absence. La méditation s'appuie sur la foi et la foi nous gardera éveillés à la présence de Dieu.

Le silence, dans la méditation, est un don de Dieu et Dieu ne demande que notre reddition consentante, notre amour et notre désir de nous reposer en lui. Parvenus à notre pointe immobile, nous ne trouvons pas un vide, mais Dieu qui est amour. Mais, pour y arriver, il faut délaisser notre ego et toute espèce d'égocentrisme. (Sur l'« ego », voir le chapitre 20.)

L'auteur du *Nuage d'inconnaissance* (voir le chapitre 8) signale que Satan ne peut entrer dans la chambre secrète du cœur qui s'adonne à cette prière. Dans ce silence, dit-il, on ne peut être ouvert qu'à la voix de l'Esprit qui habite au-dedans de nous.

Le silence est la langue de Dieu

On dit que le *silence* est la langue de Dieu. Dieu ne s'adresse donc pas à nous d'une voix qui tonne du haut du ciel. Comme Élisée, nous entendrons Dieu s'adresser à nous dans le silence.

Sur le chemin de la méditation, nous finirons à coup sûr par connaître *comment* Dieu « s'est adressé » à nous. Nous reconnaîtrons les décisions prises, les pièges évités, le droit chemin suivi, et nous saurons que Dieu nous a parlé. Mais nous n'entendrons pas, au sens propre du mot, la voix de Dieu dans nos moments de méditation. Dans nos périodes de méditation, Dieu s'adresse *directement* à notre cœur. Le *silence* est vraiment la langue de Dieu.

Bien entendu, il peut arriver que nous ne soyons pas absolument sûrs d'avoir entendu sa voix, ou de ce qu'il convient de faire en certains cas. Pour cette raison, nous sont nécessaires aussi bien la foi qu'une écoute attentive et, parfois, le sage conseil d'autrui.

Lieux sacrés où méditer

On demande souvent : « Est-il nécessaire de méditer dans une église ou peut-on méditer n'importe où? ». « Dieu est également en toutes choses et en tous lieux », dit Maître Eckhart. La présence du Christ, il est vrai, prend de nombreuses formes. Il est présent dans l'Eucharistie, sous les espèces du pain et du vin, mais il est aussi présent dans la communauté adoratrice, les Écritures; et il est présent dans notre cœur, de même que dans nos moments de méditation.

Comme le dit Eckhart, quand le Christ est présent, il est entièrement présent. Il n'est pas *plus* présent dans le saint Sacrement, ni *moins* présent dans la communauté adoratrice ou dans notre cœur en méditation. Et, pour cette raison, le lieu où une personne médite est une *terre sainte* — qu'il s'agisse d'une église, d'un autobus, des berges d'un fleuve, d'une prison, d'un jardin ou d'un logis.

John Main fait valoir, dans *The Present Christ*, que Dieu ne saurait être plus ou moins présent puisque Dieu est indivisible.

Sur les intuitions pendant la méditation

Les gens estiment parfois que, si une inspiration, un rappel ou quelque idée créatrice leur vient pendant la période de méditation, ils doivent la coucher par écrit, à tout le moins l'explorer et s'en souvenir. Mais la méditation est une discipline spirituelle et nous cherchons à y ignorer ces sortes de distractions en revenant simplement à notre mantra. La plupart des méditants savent par expérience que, si on retourne à son mantra avec fidélité chaque fois qu'on a une idée créatrice, on se rappelle ces pensées créatrices une fois terminée la méditation. Dès que l'envie nous prend de nous accrocher à une idée ou à une superbe inspiration, l'observation de soi-même et la crainte d'oublier l'idée nous rattrapent. Mieux vaut ignorer toute pensée créatrice et reprendre chaque fois la récitation du mantra. Méditer consiste largement à « renoncer ».

Le don des larmes

On entend souvent dire que des méditants se sont mis à pleurer à différents moments : en participant à l'Eucharistie, en lisant les Écritures, pendant une lecture spirituelle ou en d'autres occasions. On fait souvent référence à cela comme au « don des larmes ».

L'expérience de pleurer ou de ressentir de la componction pour ses péchés, connue sous le nom de *penthos* ou don des larmes, est un don de Dieu. Dans les moments les plus inattendus, entre la rédaction d'une règle pour les moines et la fondation du monachisme occidental, saint Benoît pleura aussi, à ce qu'il semble.

Le don des larmes est un charisme que connaissaient bien les premiers Pères et Mères du désert; ils y voyaient le signe d'un second baptême, non dans l'eau, mais dans l'Esprit saint. Saint Jean Climaque commente ainsi le phénomène : « Plus insigne que le baptême lui-

même est la fontaine des larmes après le baptême. »
Et il ajoute : « Les larmes que nous versons par crainte
intercèdent pour nous; les larmes de l'amour très saint
nous prouvent que notre prière a été entendue. »

Le don des larmes liquéfie notre cœur de pierre et
le remplace par un cœur de chair.

Je vous donnerai un cœur neuf, lit-on dans le
prophète Ézéchiel, et je mettrai en vous un esprit
neuf; j'enlèverai de votre corps le cœur de pierre
et je vous donnerai un cœur de chair. Je mettrai
en vous mon propre Esprit et [...] vous serez
mon peuple et je serai votre Dieu. (*Ez* 36,26-28)

Le don des larmes est signe de conversion intérieure,
de *métanoia*, et de componction au cœur de l'être.

Comme tous les charismes, il s'agit d'un don. Il faut
savoir que la névrose et l'hystérie peuvent aussi
déclencher des larmes. La paix intérieure, la joie et
l'amour durablement ancrés au fond du cœur sont les
signes d'un authentique don des larmes.

Ni homme ni femme

On demande souvent pourquoi les femmes
semblent plus nombreuses que les hommes à méditer.
Cela paraît varier selon le pays. Laurence Freeman nota
un jour, en Australie, que la majorité des trois cents
méditants et plus réunis dans une salle étaient des
hommes.

Conseiller matrimonial bien connu et psychiatre,
le docteur Jack Dominian observe que, lorsqu'elles
s'adonnent à la prière, les femmes prient davantage
avec leur cœur qu'avec leur tête. Chez les femmes, dit-
il, la prière « jaillit réellement du cœur et établit un

lien avec Dieu comme personne *aimante* ». Selon lui, les femmes font beaucoup plus facilement cette expérience de Dieu, tandis que les hommes abordent la foi et la spiritualité d'une manière plus *rationnelle*.

Dans un article que publiait récemment *The Tablet*, Annabel Miller évoque une discussion qu'elle eut avec le cardinal bénédictin Basil Hume et au cours de laquelle le prélat décrivait ainsi la prière de Jésus : « Tout l'art de cette prière est de la répéter lentement, sans discontinuer. On y éprouve le sentiment que celui auquel on s'adresse est présent. » Mme Miller demanda alors au cardinal s'il était possible de décrire l'expérience qu'il fit de demeurer passivement en présence de Dieu, au lieu de le chercher activement, comme l'œuvre de la part *féminine* en lui. « Oui, cela me paraît possible, répondit-il. C'est Marie de Béthanie assise aux pieds du Christ. »

Compte tenu de la mutation contemporaine des rôles sexuels, le défi pour les hommes actifs est peut-être d'apprendre à s'asseoir et à attendre en présence du Seigneur.

Leur plus subtile compréhension de la révélation faite par Julienne de Norwich que Dieu « est véritablement notre mère » (*Une révélation de l'amour de Dieu*, p. 162) constitue un autre aspect de l'ardent désir d'intériorité chez les femmes. L'attribut de « mère » que Julienne accole à Jésus est des plus importants dans ses écrits, comme le soulignent Louis Dupré et Jacques Wiseman dans *Light from Light. An Anthology of Christian Mysticism* :

> Chez Julienne les mots créateurs et salvateurs
> « Jésus notre mère » sont régulièrement réunis;
> par exemple, lorsqu'elle écrit : « Ainsi Jésus est-

il notre vraie mère selon la nature, car lui qui est Dieu, il nous a créés; et il est notre vraie mère selon la grâce, parce qu'il a pris notre nature créée. Tous les beaux accomplissements, tous les mots doux et prévenants d'une inestimable Maternité, tout cela est le propre de la Deuxième Personne » (*Une révélation de l'amour de Dieu*, p. 163).

L'exégèse récente a montré que les allusions à la maternité de Dieu dans les Écritures avaient déjà été commentées par certains des Pères de l'Église et que la maternité de Jésus était l'un des sujets de prédilection, au XIIe siècle, de nombreux écrivains cisterciens.

Dans son livre, *Why Not Be a Mystic*, Frank X. Tuoti remarque que les Églises orientales attribuent le principe féminin à Dieu le Saint-Esprit, sous la dénomination de « Hagia Sophia » — Sainte Sagesse. Et Tuoti précise : « L'orthodoxie orientale n'a jamais eu à disposer du faux problème de la masculinité ou de la féminité de Dieu : elle a compris que Dieu est l'un et l'autre et n'est ni l'un ni l'autre, qu'il est pur Esprit, qu'il transcende les genres et échappe à toutes les interprétations anthropomorphiques. »

Le regretté bénédictin Bede Griffiths a laissé sur le sujet une pénétrante vidéo intitulée « Discovering the Feminine » (More Than Illusions Films, Sydney, Australie).

Jauger le spirituel

Pouvons-nous évaluer nos progrès spirituels comme méditants? Dire que le spirituel ne se mesure pas est, cela va de soi, un truisme. On peut mesurer les profondeurs des océans et dénombrer les galaxies, mais il est tout bonnement impossible de jauger le spirituel par quelque méthode normative. Les seuls vrais critères de la croissance spirituelle sont la simplicité, la compassion et l'amour grandissants.

Ce qui se produit dans nos périodes de méditation quotidiennes n'a, en outre, pas grande importance. Habituellement, il ne s'y produit rien. Méditer ne consiste pas à entrer dans un état de conscience altérée, ni à voir ou éprouver quoi que ce soit d'extraordinaire. Le fait que nous nous interrogions sur nos progrès spirituels participe à vrai dire de l'égocentrisme dont nous entendons justement nous délester dans la méditation.

Evelyn Underhill (1875-1941), qui a voué son existence à l'étude de la prière et de la spiritualité, s'opposait catégoriquement à ce qu'on prît son pouls spirituel : « Il est tout à fait impossible à n'importe lequel d'entre nous, disait-elle, de se jauger et d'estimer ses progrès. »

Dans les faits, la méditation consiste justement à n'envisager *ni* progrès *ni* résultats. Comme le dit John Main, elle consiste à écarter de soi le projecteur, à se défaire de son égocentrisme. Si nous nous mettons à nous poser des questions comme « Où en suis-je dans ma démarche? », « Combien de temps cela me demandera-t-il? » ou encore « Est-ce que je gagne en sainteté? », nous nous retournons alors vers nous-mêmes — ce que nous voulons éviter à tout prix. La méditation, dit le père John, exige de la simplicité, et réciter fidèlement le mantra nous conduit à la simplicité.

C'est pourquoi nous n'évaluons pas notre progrès dans la méditation. Mais l'expérience montre que, si nous persévérons, la méditation transmue graduellement notre vie en amour. Nous ne devons surtout pas évaluer nos progrès à partir de ce qui survient pendant nos périodes de méditation proprement dites. Parfois, nous serons silencieux; d'autres fois, totalement déconcentrés. Si nous tenons à évaluer nos progrès, penchons-nous plutôt sur la transmutation intérieure en amour et en compassion pour autrui qui s'opère dans notre vie quotidienne.

On peut aussi se faire, d'une autre façon, une certaine idée de sa croissance spirituelle. Pas besoin de cheminer longtemps sur le sentier de la méditation avant que les fruits de la prière dont parle saint Paul commencent à faire leur œuvre en nous. Pour saint Paul, amour, joie, patience, bonté, bienveillance, foi, douceur et maîtrise de soi sont « le fruit de l'Esprit » (*Ga* 5,22). Tous ces dons nous sont dispensés si nous apprenons à écouter la langue du cœur qui est silence. Mais ces dons rejaillissent sur d'autres personnes dans notre famille, notre communauté, notre milieu de travail, sur tous les aspects de notre existence quotidienne et de nos rencontres.

Un intérêt accru pour l'Écriture, la vie sacramentelle, l'amour du prochain, la compassion pour autrui et un plus grand sens de la justice permettent aussi de juger (si nécessaire) de nos progrès. (Sur les rapports entre prière et action, voir le chapitre 15.)

Des Pères du désert nous vient une savoureuse anecdote qui nous propose peut-être une manière d'évaluer notre croissance spirituelle :

Abba Lot alla trouver abba Joseph et lui dit :
« Abba, selon que je le peux, je récite un court

office, je jeûne un peu, je prie, je médite; je vis dans le recueillement et, autant que je le peux, je me purifie de mes pensées. Que dois-je faire de plus? » Alors le vieillard se leva et étendit ses mains vers le ciel. Ses doigts devinrent comme dix lampes de feu et il lui dit : « Si tu veux, deviens tout entier comme du feu. » (*Paroles des anciens*, p. 80)

Le progrès *se résume* ici à la question : par la méditation, nous transformons-nous graduellement en feu d'amour?

Enfin, une autre voix du passé, celle de Grégoire de Nysse (335-395), nous rappelle que le besoin d'évaluer les progrès spirituels est étroitement lié à des attentes indues sur le sentier spirituel. Grégoire nous rappelle l'incompréhensibilité de Dieu et le fait que l'expérience de la présence de Dieu ne nous satisfera jamais pleinement. Seul est en notre pouvoir de persévérer dans notre vie de prière avec espérance, foi et amour. Laissons tout le reste dans les mains de Dieu.

Chapitre 14

La méditation chrétienne et les autres formes de prière

Walter Hilton démontre fort bien que la prière contemplative, d'une part, et la prière vocale ou liturgique, d'autre part, ne s'opposent pas. Il réussit à tracer une espèce de courbe du développement propre à chacune de ces formes de prière, mais jamais il ne suggère qu'on ait à passer à une forme de prière qui serait considérée comme supérieure. Hilton voit plutôt ce développement comme une croissance de la joie que l'on éprouve en entrant dans la forme de prière qui nous semble être la mieux indiquée. Toutes ces formes de prière, bien entendu, se complètent, pourvu qu'on soit bien au fait de ce qu'elles sont vraiment : des moyens d'entrer dans la prière éternelle de Jésus, qui est elle-même un élan d'amour vers le Père. À chaque moment de notre vie, tous les différents courants de prière se rejoignent et nous unissent toujours plus étroitement au Seigneur Jésus, nous entraînant dans l'océan infini de sa prière.

(John Main, *La méditation chrétienne. Conférences de Gethsémani*, p. 42-43)

Prier et prier pour…

Il importe de comprendre le rôle de la prière de sollicitation dans son rapport avec la pratique de la méditation. On perçoit aisément le rôle de la prière de sollicitation dans la célébration de l'Eucharistie, non seulement dans les intentions de la prière universelle, ou prière de l'assemblée, mais jusque dans le *Notre Père* qui est une prière de demande. Jésus lui-même dit : « Tout ce que vous demanderez en mon nom, je le ferai » (*Jn* 14,13). Dans l'exorde de ses épîtres, saint Paul prie toujours pour les autres, ne se lasse pas de répéter: « Je fais mention de vous dans mes prières. »

« Simon, Simon, […] j'ai prié pour toi afin que ta foi ne disparaisse pas », dit Jésus (*Lc* 22,31-32). Et dans l'Évangile de Matthieu : « Demandez, on vous donnera; cherchez, vous trouverez; frappez, on vous ouvrira » (*Mt* 7,7). De tout temps, la communauté chrétienne a prié pour ses besoins particuliers. Par conséquent, la prière d'intercession occupera toujours une place importante dans notre vie spirituelle.

Cependant, peut-être abusons-nous parfois de la prière de demande. Récemment, dans le cadre d'une retraite, une participante s'est élevée contre « la prière du silence » en expliquant qu'elle devait soumettre quotidiennement à Dieu une longue liste de soixante-huit personnes atteintes de douleurs et de maux divers. Pour décrire cela, elle utilisa l'expression « trouver du temps pour faire mes prières ». Jésus a pourtant dit clairement que débiter des mots est contre-productif : « Quand vous priez, ne rabâchez pas comme les païens; ils s'imaginent que c'est à force de paroles qu'ils se feront exaucer. Ne leur ressemblez pas, car votre Père sait ce dont vous avez besoin, avant que vous le lui demandiez » (*Mt* 6,7-8). Dieu qui sait tout, qui voit tout, connaît nos besoins *réels* bien mieux que nous ne les connaissons nous-mêmes. Cela signifie que nous pouvons présenter au Seigneur toutes nos demandes, pour nous-mêmes et pour les autres, en un instant de recueillement, lorsque nous entamons nos moments de méditation silencieuse.

Le problème avec la prière de sollicitation tient à ce que nous risquons par elle de nous attacher davantage aux dons de Dieu qu'à Dieu lui-même. Il nous est impossible de forcer la main de Dieu pour qu'il nous donne ce que nous demandons. Dans l'Eucharistie, la prière de l'assemblée n'a pas tellement pour objet d'informer Dieu de nos besoins, puisque Dieu connaît déjà nos besoins réels. La prière de sollicitation vise en réalité le mieux-être de ceux en présence de qui les demandes sont faites. Plus que nous ne les présentons à Dieu, nous partageons nos besoins et nos soucis avec la communauté eucharistique, dans la foi que Dieu les connaît déjà et n'y est pas indifférent.

Méditer est une façon de prier plus simple et plus profonde que les mots; méditer, c'est s'éveiller à la vigilance silencieuse du Christ qui habite en nous — lui, notre médiateur qui, dans sa compassion universelle, fait connaître au Père tous les besoins des humains. Méditer, c'est dépasser les mots, les rabâchages et, dans la foi, se mettre en présence de Dieu. L'éveil à la vigilance n'est pas de l'ordre du *faire*, mais de l'*être*. Et, dans le silence, nous découvrons l'amour au centre même de notre *être*. Cette expérience et cette découverte transforment notre vie.

Les différentes écoles de prière contemplative

On rencontre souvent des méditants qui s'interrogent sur les rapports entre « prière centralisante » et méditation chrétienne, et se demandent si leurs enseignements présentent des différences. Ces deux itinéraires de spiritualité s'inscrivent dans la tradition de la prière hésychaste qui prêche l'unité de la tête et du cœur et le repos dans l'immobilité et le silence divins. Comme on l'a précisé plus tôt, hésychasme est un mot d'origine grecque qui signifie repos, ou *tranquillité*. Ces deux écoles de prière s'enracinent aussi dans la tradition « apophatique » selon laquelle seule la « voie de la divine obscurité », une fois l'âme en paix et au repos, permet d'atteindre Dieu qui échappe à l'entendement humain. La prière « centralisante », ou « oraison du silence intérieur », et la méditation chrétienne ont donc pour origine la même tradition contemplative chrétienne. Deux moines cisterciens, Thomas Keating et Basil Pennington, ont élaboré l'enseignement de la prière « centralisante ».

Mais si les deux écoles de prière dérivent d'une même tradition contemplative, des différences marquent leurs enseignements, tout particulièrement la récitation « intermittente » du mantra, suivant l'oraison du silence intérieur, et la récitation incessante du mantra recommandée par John Main.

En juin 1993, le père Laurence Freeman, directeur de la Communauté mondiale de méditation chrétienne, et le père Thomas Keating se sont réunis à New Harmony, dans l'État américain de l'Indiana, pour discuter du mouvement contemplatif dans l'Église contemporaine et pour affirmer la validité de leurs deux écoles de pensée en ce qui a trait à la pratique de la prière contemplative.

Les deux communautés méditantes conservent leurs traditions distinctes d'enseignements, mais collaborent et se prêtent mutuellement soutien pour que continue à s'imposer le renouveau contemplatif dans le monde entier. Les deux moines croient que, dans sa providence unique pour chaque individu, l'Esprit saint dirige toute personne vers l'un ou l'autre sentier de prière, ou vers d'autres chemins spirituels.

La méditation et les autres manières de prier

La méditation chrétienne est *une* manière de prier, mais évidemment pas la *seule*. Il existe plusieurs formes de prière, dont la prière vocale, la prière de sollicitation, la prière liturgique, la lecture méditée des Écritures, le rosaire, les neuvaines, la prière charismatique, les exercices ignaciens et diverses sortes de dévotion et de méditation discursive.

John Main souligne cependant que la pratique de la méditation chrétienne enrichit ces autres champs de la vie spirituelle. Par exemple, de très nombreuses personnes qui se sont mises à la méditation ont fait l'expérience d'être gagnées par une faim et un besoin de vie sacramentelle. Plusieurs méditants constatent aussi que leur intérêt pour l'Écriture en est renouvelé. « J'avais toujours lu quotidiennement les Écritures à l'Office divin, déclare un prêtre d'Irlande, mais ce n'est qu'après mon initiation à la méditation que les Écritures ont commencé à m'interpeller. »

Celui qui entreprend de méditer — il est important de le signaler — n'a pas à renoncer aux autres formes de prière. Méditer n'empêche pas de prier de quelque autre façon. Habituellement, la discipline spirituelle quotidienne de la méditation devient la priorité et les autres formes de prière passent dès lors au second plan dans la vie spirituelle. John Main n'a jamais prétendu que la méditation chrétienne fût la *seule* ni même la *meilleure* manière de prier. Dans l'une des conférences qu'il donnait en 1976 aux moines cisterciens du monastère de Thomas Merton, dans le Kentucky, il explicitait ainsi sa pensée :

> Toute prière chrétienne est, à mon sens, un éveil grandissant à Dieu en Jésus. Et cet éveil grandissant présuppose que nous parvenions à un état d'application, un état d'attention et de concentration — en somme, à un état d'éveil. Autant que j'aie pu l'apprécier dans les limites de ma vie personnelle, seule la voie du mantra permet d'atteindre à cette quiétude, à cette absence de distractions, à cette concentration.

Sur le même sujet, on peut aussi lire ce commentaire dans *Un mot dans le silence, un mot pour méditer* :

> Je ne prétends pas que la méditation soit l'unique façon d'atteindre ce but, mais [j'affirme] plutôt que c'est le seul chemin que j'ai pu découvrir. Mon expérience m'a enseigné que la méditation est le chemin de la simplicité absolue qui nous permet de devenir pleinement conscients de l'Esprit envoyé par Jésus dans notre cœur; et qu'il s'agit d'une expérience éprouvée qui nous fut transmise par la tradition chrétienne, des temps apostoliques à nos jours. (p. 61)

Le jésuite William Johnston, auteur et maître spirituel, soutient pour sa part que toutes les manières de prier mènent nécessairement, tôt ou tard, au silence où l'on repose en présence de Dieu. « Toutes les formes de prière convergent en fin de compte vers la prière contemplative. Où que l'on commence, on aboutit à la contemplation », écrit le père Johnston dans *Being in Love*.

Le rapprochement entre méditation et mouvement charismatique

Le père Robert Wild, qui a contribué à la formation, en 1970, d'un des premiers groupes de prière charismatique à Buffalo, dans l'État de New York, est depuis devenu membre de la Madonna House Community de Combermere, en Ontario. Il a écrit deux livres sur le renouveau charismatique : *Enthusiasm in the Spirit* et *The Post-Charismatic Experience*. Le second de ces ouvrages propose une analyse très pénétrante de l'orientation prise par le mouvement charismatique. L'auteur émet l'opinion que plusieurs charismatiques sont appelés à faire l'expérience du désert et celle du voyage spirituel intérieur.

Plusieurs charismatiques, dit le père Wild, se sentent maintenant appelés à une forme de spiritualité différente et plus intériorisée. « Leur spiritualité tendra, écrit-il, à canaliser leurs énergies spirituelles en vue d'un silence plus profond, d'une prière plus privée, d'une prière qui mette l'accent sur l'immobilité et le repos plutôt que sur les manifestations extérieures. »

Paru en 1984, l'ouvrage était prophétique : partout dans le monde, on voit en effet des membres de groupes de prière charismatique explorer désormais individuellement le chemin du silence et de l'immobilité dans la prière. Tout indique aujourd'hui que le mouvement charismatique s'ouvre à la tradition contemplative chrétienne. Cela ne signifie pas, bien entendu, que les charismatiques doivent délaisser leurs réunions coutumières de prière charismatique. Les deux chemins spirituels peuvent se compléter. En fait, grâce à leur réciproque fécondation, un silence des plus nécessaires trouverait place dans les réunions de prière charismatique.

Benedict Heron, moine bénédictin et l'un des leaders du mouvement charismatique d'Angleterre, est de cet avis. Il estime que les charismatiques font souvent des expériences contemplatives dans leurs réunions de prière.

> Lorsque je préside une réunion de prière charismatique, dit le père Heron, j'essaie toujours de m'assurer qu'on réserve suffisamment de temps pour faire silence et écouter le Seigneur. Il faut prévoir suffisamment de temps aussi bien pour le chant que pour le silence.

> Dans nos réunions de prière charismatique, observe-t-il encore, nous disons aux gens que, pour s'assurer une participation fructueuse à une réunion de prières en soirée, il leur faut au préalable passer assez de temps seul à seul avec le Seigneur, sur une base quotidienne. Nous ne leur disons cependant pas toujours comment occuper ce temps seul à seul avec le Seigneur. Je pense que la tradition de la méditation selon John Main peut être l'aide dont ont besoin certaines de ces personnes.

John Main avait eu le pressentiment, avant sa mort en 1982, que l'Esprit guiderait les charismatiques vers un silence intérieur plus profond dans la prière. Ses espoirs se concrétisent aujourd'hui. D'autres guides spirituels de partout soulignent, à la suite de John Main, que les charismatiques ne doivent pas s'arrêter au « parler en langues », mais faire l'expérience de Dieu dans le silence et l'immobilité.

Si le baptême dans l'Esprit n'est pas le gage d'un stade avancé d'évolution spirituelle, écrit Thomas Keating dans *Intimacy with God*, il est manifestement une invitation à la prière contemplative. La tradition contemplative de l'Église enseigne que la prière contemplative est l'aboutissement normal d'une vie menée chrétiennement.

Méditation transcendantale et méditation chrétienne

Méditation transcendantale (MT) est le nom d'une organisation mondiale fondée par le Maharishi Mahesh Yogi. Inutile de dire qu'il y a souvent confusion, dans l'esprit des gens, lorsque vient le moment de déterminer si la MT est semblable, voire identique à la méditation chrétienne. On comprend leur confusion parce que les deux traditions ne manquent pas de ressemblances quant à la forme. Toutes deux prescrivent deux périodes de méditation quotidiennes, la même position assise, dos bien droit, et l'usage d'un mantra pour amener l'esprit à l'immobilité.

Même si ses enseignements sur la méditation avec mantra ne diffèrent guère des premiers enseignements du père John Main, la MT s'est sensiblement éloignée de ses racines spirituelles et essentiellement recyclée en une technique de santé, de relaxation, de bien-être, d'efficacité professionnelle et de soulagement du stress. Il faut beaucoup dépenser pour se familiariser avec cette technique et ceux qui rallient la MT sont incités à « progresser » et à ouvrir leur bourse pour s'initier à diverses autres pratiques. L'organisation nourrit aussi des ambitions politiques; elle a d'ailleurs créé son propre parti qui se dispute la faveur de l'électorat dans plusieurs pays du monde.

Il y a réellement péril à présenter la méditation sous les rapports du rendement et du bénéfice, écrit John Main dans *Word Make Flesh*. La plupart des livres en librairie proposent une liste complète d'avantages : depuis la réduction de la pression artérielle jusqu'à de meilleurs résultats aux examens, en passant par la lévitation. Mais que se matérialise ou pas l'un ou l'autre de ces résultats, dont certains sont plausibles et d'autres fantaisistes, est sans importance. Seul importe que votre esprit vive, qu'il vive intégralement et réalise l'union avec Dieu et toute la création.

Contrairement à la MT, comme le signale John Main, la tradition spirituelle de la méditation chrétienne ne poursuit pas d'objectifs immédiats. *Le nuage d'inconnaissance* précise lui aussi que, par cette manière chrétienne de prier, nous élevons notre cœur vers Dieu dans un esprit d'humble amour et non pour ce que nous pourrions obtenir de lui. La méditation chrétienne n'est pas fuite de la douleur, de la souffrance, du conflit, du combat et de l'obscurité, mais en fait ralliement volontaire au message évangélique selon lequel qui perd sa vie la gagne.

En réponse à une question sur la MT dans son livre *Short Span of Days*, Laurence Freeman observe que la méditation chrétienne se distingue, pour le chrétien, comme étant un chemin spirituel du fait qu'elle ne se pratique pas comme une technique :

> Il y a tout un monde entre s'adonner à la méditation comme à une technique et s'y adonner comme à une discipline. Nous sommes conditionnés, par la technologie et, de ce fait, nous pensons découvrir là une superbe technique. « Faisons-en l'essai, nous disons-nous, et nous verrons si nous en retirons quelque chose, si nous améliorerons notre rendement au travail; nous pourrons toujours y renoncer si elle ne rapporte rien. » Mais si nous abordons la méditation comme une discipline, nous y introduisons une dimension de foi et de persévérance. Peut-être faut-il s'y adonner un certain temps avant de vraiment comprendre le sens de cette foi. C'est justement pourquoi il importe d'enseigner la méditation comme une discipline spirituelle plutôt que comme une simple technique.

Dans *Being in Love*, William Johnston écrit: « La dimension de l'amour est ce qui donne à la méditation religieuse son caractère [...] religieux (par opposition à la méditation laïque pratiquée dans le but de développer le potentiel humain). » La capacité d'amour du cœur humain, fait-il ensuite valoir, est infinie et cet amour jaillit du fond de l'esprit, dans notre vie de prière.

Il faut néanmoins reconnaître que certains chrétiens découvrent effectivement dans la MT un chemin spirituel et que d'anciens adeptes de la MT se joignent à des groupes de méditation chrétienne.

Nous devrions en outre nous rappeler que John Main a été initié à la méditation avec mantra par un swami hindou, en Malaisie, ce qui l'amena plus tard à redécouvrir la tradition chrétienne de la méditation avec mantra. Nous sommes donc grandement redevables à une tradition spirituelle indienne des plus anciennes qui a gardé vivants l'enseignement et la pratique de la méditation et s'est toujours montrée très empressée à la partager généreusement avec d'autres. (Voir le chapitre 15 : « La méditation chrétienne et l'unité avec les autres religions ».)

La MT lance un défi au christianisme. Le défi de répondre à la question : « Pourquoi la tradition chrétienne de la méditation est-elle, aujourd'hui, le secret le mieux gardé dans l'Église? » Si la MT, selon un récent article de journal, peut rassembler vingt mille méditants à Toronto, pourquoi les Églises chrétiennes ne répandent-elles pas plus efficacement la « bonne nouvelle » de la méditation chrétienne? Il faut relever le défi de partager avec sa famille, ses amis, ses collègues et ses connaissances, le don des enseignements de John Main sur le silence et l'immobilité dans la prière. Les *dons* sont faits pour être donnés.

Chapitre 15

La méditation chrétienne et l'unité avec les autres religions

Toute grande tradition spirituelle reconnaît que, dans l'immobilité absolue, l'esprit humain commence à être sensible à sa Source. Dans la tradition hindouiste, par exemple, les Upanishads qualifient d'hôte de notre cœur l'esprit de l'Un qui créa l'univers. On y décrit le même esprit comme l'Un qui, en silence, est tendre avec tous. Dans notre tradition chrétienne, Jésus nous entretient de l'Esprit qui habite notre cœur et de l'Esprit qui est Esprit d'amour.

(John Main, *Le chemin de la méditation*, p. 129-130)

La rencontre de l'Orient et de l'Occident dans l'Esprit, qui constitue l'un des traits majeurs de notre époque, ne peut être fructueuse que si elle se réalise dans le cadre de la prière profonde. Cette vérité s'applique également à l'union des diverses dénominations chrétiennes.

(John Main, *Un mot dans le silence, un mot pour méditer*, p. 13)

La rencontre de l'Inde et de l'Orient nous enseigne quelque chose que nous n'aurions jamais dû oublier : aucune forme culturelle ou intellectuelle ne saurait exprimer ni cerner l'expérience chrétienne dans son essence. Ce que saint Paul appelait la « liberté et [...] la gloire des enfants de Dieu » (Rm 8,21) — sans restriction aucune.

Cette expérience doit retrouver sa place au cœur de l'Église pour que l'Église puisse relever avec créativité les défis qui l'affrontent : défi du renouveau de sa vie religieuse contemplative, défi de la restauration de l'unité dans l'Esprit avec toutes les communions chrétiennes, défi d'accueillir les religions non chrétiennes avec l'amour universel du Christ, déjà présent dans le cœur de tous, qu'elle a la responsabilité particulière de libérer et de nommer. Pour relever ces défis, chacun de nous doit intimement s'enraciner dans l'expérience de Dieu personnelle à Jésus qui la partage avec nous tous par son Esprit.

Nous ne méritons ni ne provoquons cette expérience par nos propres moyens, mais il nous revient de nous préparer à la grâce de son don.

(John Main, *Letters From the Heart*)

Nous nous rencontrons dans la grotte du cœur

D ans toutes les grandes religions du monde, le silence est une valeur universelle et cette dimension contemplative des religions fournit un solide fondement d'unité.

Les instituts religieux, affirment les Pères du concile Vatican II, [...] doivent examiner comment les traditions ascétiques et contemplatives, dont les germes ont été quelquefois répandus par Dieu dans les civilisations antiques avant la prédication de l'Évangile, peuvent être assumées dans la vie religieuse chrétienne. (Décret *Ad Gentes* sur l'Activité missionnaire de l'Église, 18)

Une autre importante déclaration du même concile Vatican II stipule qu'on peut trouver la vérité divine de Dieu dans des religions non chrétiennes :

L'Église catholique ne rejette rien de ce qui est vrai et saint dans ces religions. Elle considère avec un respect sincère ces manières d'agir et de vivre, ces règles et ces doctrines qui, quoiqu'elles diffèrent en beaucoup de points de ce qu'elle-même tient et propose, cependant apportent souvent un rayon de la vérité qui illumine tous les hommes. Toutefois, elle annonce, et elle est tenue d'annoncer sans cesse, le Christ qui est « *la voie, la vérité et la vie* » (*Jn* 14,6), dans lequel les hommes doivent trouver la plénitude de la vie religieuse et dans lequel Dieu s'est réconcilié toutes choses.

Elle exhorte donc ses enfants pour que, avec prudence et charité, par le dialogue et par la collaboration avec ceux qui suivent d'autres religions, et tout en témoignant de la foi et de la vie chrétiennes, ils reconnaissent, préservent et fassent progresser les valeurs spirituelles, morales et socioculturelles qui se trouvent en eux. (Décret *Nostra Ætate* sur L'Église et les religions non chrétiennes, 2)

Dom Bede Griffiths avait la conviction que l'Occident avait beaucoup à apprendre des formes orientales de prière contemplative et que le partage de cette expérience nous conduirait à une plus profonde unité avec les méditants d'autres religions. (Sur la vie de Bede Griffiths, voir plus loin dans le même chapitre.) Il soulignait que le silence dans la prière est au cœur de toute religion véritable et que ce silence serait l'élément unificateur dans tout dialogue religieux avec les autres confessions. Dans une conférence donnée aux États-Unis en 1983, le père Bede disait : « Nous constatons qu'en disputant de doctrines et du reste nous n'allons nulle part, mais que, si nous nous rencontrons en méditation, nous commençons à partager notre expérience intérieure de la méditation [et] à prendre conscience de l'unité sous-jacente à toutes les religions. »

Le père Bede estimait aussi que les Écritures indiennes, les Upahishads et la Bhagavad-Gītā, sont un legs incommensurable qui enrichira la vie intérieure des Occidentaux. L'insistance de l'Orient sur la non dualité, jugeait-il également, rappelle que toute tradition religieuse, dans ce qu'elle a de plus fondamental, est union avec la transcendance, non dualité, absence de division. Pour le père Bede, la difficulté de transcender l'ego, difficulté commune à toute tradition religieuse — y compris le christianisme, l'hindouisme, le bouddhisme, l'islamisme et le judaïsme — révèle un autre aspect unificateur de la méditation.

Lorsqu'il aborde la méditation dans *Grace and Grit*, Ken Wilber fait écho à cet aspect unificateur du silence inculqué en stipulant qu'il participe de la culture universelle de l'humanité :

> Parce que, si l'on parvient à isoler une vérité sur laquelle s'entendent les hindouistes et les chrétiens, les bouddhistes, les taoïstes et les

soufis, on tient probablement quelque chose d'indéniablement important, quelque chose qui nous renvoie à des vérités universelles et des valeurs fondamentales, quelque chose qui touche au cœur même de la condition humaine.

Thomas Merton affirmait lui aussi important, dans *The Inner Experience*, que les chrétiens reconnaissent l'authentique tradition contemplative d'autres religions :

La contemplation surnaturelle et mystique est certainement possible hors de l'Église visible, puisque Dieu est maître de ses dons; partout où se manifestent sincérité et profond désir de vérité, Il ne refuse pas de dispenser sa grâce. À mesure que grandiront notre connaissance et notre estime des religions orientales, nous saisirons mieux la profondeur et la richesse de leurs formes variées de contemplation.

Peut-être Swami Abhishiktananda (Henri Le Saux, 1910-1973), autre bénédictin de l'Inde, a-t-il le mieux résumé la question en évoquant en ces mots l'unité de ceux qui méditent selon diverses traditions : « Nous nous rencontrons dans la grotte du cœur. »

Par-delà Orient et Occident

La méditation comme manière de prier jette un pont entre l'Orient et l'Occident, de même qu'entre les Églises orthodoxes et latines. Jean Cassien, qui a propagé cette tradition spirituelle de la prière, était un moine occidental né dans une région devenue aujourd'hui la Croatie; il finit ses jours à Marseille, en France (la Gaule d'alors), après y avoir établi deux monastères. (Sur Jean Cassien, voir le chapitre 8.)

Nous pouvons néanmoins apprendre beaucoup de la spiritualité orientale. En Occident, nous avons traditionnellement prié avec la tête. Mais la façon dont les civilisations orientale et sémitique abordent la prière nous apprend à rencontrer Dieu dans notre cœur. On dit que, si vous demandez à un enfant occidental où habite Dieu, il montrera du doigt le ciel. Si vous demandez à un enfant oriental où habite Dieu, il montrera du doigt son cœur. La spiritualité orientale a toujours eu une intuition pénétrante du « Christ qui nous habite » révélé par l'évangile johannique.

En Occident, nous avons eu tendance à séparer âme et corps, matière et esprit. La perspective orientale intègre plutôt les facultés en un tout harmonieux. Dans les Upanishads, des Écritures hindouistes, on découvre un Dieu qui réside « dans la grotte du cœur ».

Le grand apport de la spiritualité chrétienne orientale tient à l'appréhension que Dieu nous est accessible, non à l'aide de concepts ou de la connaissance discursive, mais par une amoureuse reddition à Dieu dans le tréfonds de notre être. Ce qui est en soi une juste définition du chemin de la méditation chrétienne.

Bede Griffiths et le pont spirituel entre les religions du monde

Dom Bede Griffith est décédé le 13 mai 1993 à l'ashram de Shantivanam, dans le sud de l'Inde. Il avait 87 ans. Maître spirituel internationalement respecté, il avait consacré sa vie à l'intégration des traditions spirituelles chrétienne, hindouiste et bouddhiste, et à la propagation du chemin de la prière contemplative. Dans son introduction à *The Inner Christ*, il déclarait : « De mon point de vue, John Main est de nos jours le meilleur guide spirituel dans l'Église ». Que le père Laurence Freeman soit remercié pour avoir permis qu'on reprenne ici ses réflexions sur la vie du père Bede :

Dans son autobiographie, *The Golden String*, publiée au mitan de sa vie, Bede Griffiths relate ses efforts pour mener une vie de radicale simplicité avec deux compagnons, dans un cottage de Cotswold en Angleterre, après qu'ils eurent quitté Oxford en 1929. Cela déclencha en lui une crise psychologique et spirituelle qui à son tour le conduisit du culte du Romanesque et de la Raison à l'expérience de Dieu, à la conversion au catholicisme et à l'admission, comme moine bénédictin, à l'abbaye de Prinknash.

Il passa les dernières années de sa longue existence dans une cabane sur les berges du Kaveri, fleuve sacré de l'Inde méridionale, à son ashram bénédictin de Shantivanam. En un sens, la boucle était bouclée. L'idéal d'une petite communauté contemplative autosuffisante s'y était concrétisé, mais l'ashram était aussi devenu l'un des grands centres internationaux de la prière et du dialogue interreligieux. Des milliers de visiteurs, dont de nombreux méditants, y affluaient chaque année.

Au fil de longs voyages en Amérique, en Europe et en Australie vers la fin de son existence, le père Bede élabora une vision de la vie moderne et de la religion qui constitue son durable héritage. À ses yeux, le monde était à un carrefour, comme il le fut seulement à deux ou trois époques semblables dans l'histoire de l'humanité, et le recouvrement d'une vision spirituelle lui semblait un instrument essentiel à sa survie. Il lui paraissait nécessaire que les prétentions parfois exclusivistes et la philosophie dualiste des religions sémitiques — judaïsme, christianisme et islamisme — responsables de si nombreuses guerres et tant haïes, fussent atteintes par l'*advaita*, ou la non dualité, et par la priorité donnée à la contemplation dans l'expérience religieuse asiatique. Il développa brillamment cette idée dans *A Marriage of East and West*, paru en 1982.

Son itinéraire spirituel personnel de méditant fut la source la plus profonde de sa vision. Depuis les années 1940, il s'adonnait à la prière de Jésus, une forme de prière du cœur, intérieure et non discursive, qu'il tenait pour un complément essentiel à toute espèce de culte extérieur. Dans les enseignements de son frère bénédictin John Main sur la tradition chrétienne de la méditation, il fit la découverte de la méditation et de la voie du mantra comme pont essentiel entre l'Orient et l'Occident.

Dans le cadre du John Main Seminar qu'il dirigea à New Harmony (Indiana) en 1991, il recourut à la pensée de John Main pour cristalliser sa vision personnelle de la prière et des besoins spirituels contemporains, particulièrement le besoin de communauté. Les conférences qu'il y donna, publiées sous le titre *The New Creation in Christ*, dépeignent son sentiment aigu de la crise qu'affronte l'humanité moderne, mais aussi son esprit d'espérance et de foi.

Bede Griffiths est un des grands prophètes religieux des temps modernes. Son influence continuera à s'exercer non seulement en ceux qu'il a inspirés, mais par l'entremise des écrits qu'il a laissés pour publication posthume. Au fil des péripéties d'une longue existence de quête et de partage de Dieu, il témoigna de la possibilité, rarement réalisée en une ère de scepticisme, d'unifier intellect et esprit et de les intégrer dans une nature humaine d'une grande douceur et d'une profonde compassion pour autrui.

Chapitre 16

Méditation et action : les deux côtés d'une même pièce

Bien des personnes ont souvent l'impression que la prière est un état introspectif et le méditant un être qui s'étudie lui-même à l'exclusion des personnes et de la création qui l'entourent. Rien n'est plus éloigné de la vérité. [...] Parce que la méditation nous introduit dans l'expérience tangible de l'amour au centre de notre être, elle fait nécessairement de nous des êtres plus attentionnés dans notre vie et nos rapports quotidiens.

(John Main, *Letters From the Heart*)

Si notre vie est enracinée dans le Christ, dans son amour et dans la lucide connaissance de son amour, inutile de nous soucier de réguler notre action. Notre action résultera toujours spontanément de cet amour qui l'informera et la modèlera. En vérité, plus nous sommes actifs, plus il est important que notre action découle de la contemplation et s'y fonde. Et contemplation signifie communion silencieuse, profonde; elle signifie connaître qui on est. Connaître qui on est en étant qui on est. Pour

*le chrétien, la connaissance de soi est connaissance
qu'il est enraciné et établi dans le Christ, dans la
Résurrection de Dieu.*

(John Main, *The Way of Unknowing*)

L'œil intérieur de l'amour

Une femme disait récemment à un méditant :
« Ce trip de méditation ne m'inspire pas
confiance. Vous autres, méditants, vous passez
votre temps assis dans un sous-sol à vous regarder le
nombril pendant que le reste du monde souffre de la
faim. » Nous tous, méditants, devons généralement
affronter, à un moment ou à un autre, des gens souvent
soupçonneux et méfiants à l'égard de ce que nous
vivons dans notre cheminement méditatif. On cherche
souvent à savoir si nous utilisons la prière pour nous
dérober à l'existence et aux responsabilités.

John Main affirmait catégoriquement que la
méditation, *loin* d'être une fuite de la vie, catapulte le
méditant *dans* la vie et l'excite à l'amour des autres et à
la compassion pour autrui. Un autre maître, le père
jésuite William Johnston, attaque de front ce problème
dans *Silent Music (Musique du silence)* :

> En dernière analyse, la méditation est affaire
> d'amour et l'amour est l'énergie la plus puissante
> de l'univers. Le grand paradoxe de la méditation,
> c'est qu'on s'y immerge *davantage* dans l'ici et
> maintenant. Quand nous sommes libérés de
> notre faux ego, nous entreprenons de connaître
> et d'aimer les autres à un niveau de conscience
> plus profond. Nous tendons la main à nos

parents, à nos amis, au moins fortuné, avec une compassion que nous ne nous connaissions pas*.

Parmi les fruits personnels de la prière dont parle saint Paul peut aussi figurer l'appel à l'action. La flamme d'amour qui jaillit de la prière, observe le père Johnston, peut soudainement s'aviver. Comme les prophètes d'antan, la personne qui médite possède souvent un œil intérieur éveillé à la souffrance et à l'injustice dans le monde, et se découvre soudain incapable de décliner l'appel à l'action. Le chemin de la méditation conduit fréquemment à la compassion pour le pauvre, le malade, l'opprimé, le faible, le déshérité et l'indigent.

Nous en voulons pour preuves Mère Teresa et Jean Vanier qui se sont investis dans les conflits, la souffrance, l'angoisse du monde où nous vivons et qui pourtant se sont faits les apôtres du silence dans la prière. Outre ces grands témoins spirituels, une armée de méditants dans le monde entier conjugue méditation quotidienne avec amour, culte, service de la famille et de la communauté.

Pas moyen de séparer notre vie de prière et nos actions : elles sont de la même étoffe. La prière et l'action sont les deux côtés d'une même pièce. Jésus lui-même a choisi une vie de prière *et* d'action, lui qui a enseigné, prêché et guéri en consacrant simultanément beaucoup de temps à la prière.

Tous les méditants ne devraient surtout pas perdre de vue qu'il est impossible de jouir du silence et de l'immobilité en se désintéressant de ses occupations, de ses responsabilités familiales et sociales. Ce serait

---

* Nous traduisons (NdT).

carrément s'abuser. Par ailleurs, la méditation nous fournit l'énergie spirituelle nécessaire pour changer le monde. Selon les dires du père Louis Lallemant, fameux guide spirituel du XVIIe siècle, une personne de prière accomplit davantage en un an qu'une autre, qui ne prie pas, accomplit en une vie entière.

Dans la méditation s'éveille l'œil intérieur, l'œil du cœur, l'œil intérieur de l'amour. Ce phénomène de la *metanioa*, ou de la conversion, Ézéchiel le décrit admirablement : « Je vous donnerai un cœur neuf et je mettrai en vous un esprit neuf; j'enlèverai de votre corps le cœur de pierre et je vous donnerai un cœur de chair. Je mettrai en vous mon propre esprit [...] » (*Ez* 36,26-27). C'est d'ailleurs l'exhortation évangélique de Jésus (*Mt* 3,2) : « Convertissez-vous : le Règne des cieux s'est approché! » Sur la route de la méditation, l'œil intérieur de l'amour transforme notre cœur et nous induit à une fructueuse vie active. Sans la prière, nos actions peuvent en effet souvent rester stériles. Sainte Thérèse d'Avila l'a peut-être le mieux résumé : « L'accouchement en tous temps de bonnes œuvres, de bonnes œuvres, mes filles, est la raison de prier. » La méditation n'entraîne jamais au souci égoïste de soi-même.

Thomas Merton se joint aussi au chœur des personnes fermement convaincues de la nécessité que notre vie de prière se répande en amour et en action. L'auteur de *Thomas Merton on Prayer* lui prête ces mots : « La vraie prière doit nous conduire aux autres. » Merton y insiste en précisant que, si nous faisons l'expérience de Dieu dans la prière silencieuse, ce n'est pas seulement pour nous-mêmes, mais aussi pour les autres. Du point de vue de Merton, à sa plus haute intensité la contemplation devient un réservoir de vitalité spirituelle qui s'épanche dans les formes les plus variées d'engagement social.

Les bouddhistes voient aussi nettement une connexité entre méditation et compassion pour autrui. Le maître de méditation bouddhiste Joseph Goldstein écrit dans *Insight Meditation, the Practice of Freedom* :

> Avec le temps, la méditation fait s'épanouir une immense tendresse du cœur; [...] l'âme et le cœur se laissent émouvoir, ce qui transforme notre rapport avec nous-mêmes et avec les autres. Notre sensibilité gagne en profondeur et cette profondeur de sentiment devient source de compassion.

Les contemplatifs ne sont pas de ceux qui se retirent du monde pour sauver leur âme, mais de ceux qui s'engagent au cœur du monde, y travaillent et y prient, disait le regretté Henri Nouwen, prêtre, auteur et pasteur d'une maison de l'Arche en Ontario.

Une vie de méditation présuppose justice et compassion pour les autres. En fait, notre souci de justice et de compassion sociales nous gardera immanquablement sur le chemin de la méditation. Il y a risque, pour certains activistes sociaux, de négliger la vie intérieure et conséquemment de s'exposer à la frustration, à l'épuisement professionnel. Un *équilibre* entre méditation et action s'impose donc en tout temps.

L'évangéliste Marc décrit merveilleusement l'intégration de la prière et de l'action dans la vie de Jésus :

> Au matin, à la nuit noire, Jésus se leva et s'en alla dans un lieu désert; là, il priait. Simon se mit à sa recherche, ainsi que ses compagnons, et

ils le trouvèrent. Ils lui disent : « Tout le monde te cherche. » Et il leur dit : « Allons ailleurs, dans les bourgs voisins, pour que j'y proclame aussi l'Évangile : car c'est pour cela que je suis sorti. » (*Mc* 1,35-38)

Maître Eckhart met en garde les méditants contre la tentation de se couper du monde. Une fois que nous avons trouvé le silence, dit-il, nous ne devons pas nous désintéresser de nos occupations et de nos responsabilités au jour le jour. Eckhart nous rappelle que le monde extérieur est lui aussi réel et légitime. Dieu est présent dans les deux mondes et il nous faut apprendre à le trouver dans l'un et dans l'autre. Dieu nous est présent partout, continue Eckhart, à la fois dans de la prière silencieuse et en dehors d'elle. Il y a là matière à réflexion.

Comme Eckhart, le contemplatif en ce début de XXIe siècle prend peu à peu conscience que Dieu est présent dans sa création. Cette spiritualité incarnée épouse le regard du poète Gerard Manley Hopkins pour qui « le monde est saturé de la grandeur de Dieu ». Cela dénote un souci de l'environnement, qui cherche et trouve Dieu en toute chose créée.

Amour du silence et compassion pour les autres

On demande souvent des exemples d'individus bien connus qui ont concilié amour du silence avec compassion, avec service et amour des autres dans leur vie quotidienne. Tout naturellement, deux noms viennent immédiatement à l'esprit : ceux de Mère Teresa, fondatrice des Missionnaires de la Charité, et de Jean Vanier, fondateur de la communauté de l'Arche pour personnes handicapées mentales.

La vie de Mère Teresa a été toute entière consacrée au silence et à l'immobilité dans la prière alliés avec un dévouement et une compassion extraordinaires pour les plus nécessiteux de ce monde. Elle avait une profonde compréhension du lien qui unit prière contemplative et action, et elle s'est assurée que deux périodes quotidiennes de prière silencieuse soient parties intégrantes de l'horaire matinal et vespéral de ses sœurs.

Voici quelques-unes de ses pensées sur le rapport de la prière et de l'action et sur l'importance du silence; elles sont extraites de textes de Mère Teresa recueillis dans *Par la parole et par l'exemple* et dans *La prière, fraîcheur d'une source* :

— En effet, plus nous recevons dans la prière silencieuse, et plus nous pouvons donner dans notre vie active. (*Par la parole et par exemple*, p. 88)

— C'est en silence que Jésus toujours nous attend [...] c'est là qu'il parlera à nos âmes. (*La prière, fraicheur d'une source*, p. 51)

— « Dieu est ami du silence. Son langage est silence ». (*Par la parole et par exemple*, p. 89)

— Vois comme la nature, les arbres, les fleurs, l'herbe poussent dans un silence parfait. Vois comme les étoiles, la lune et le soleil se meuvent en silence. (*Par la parole et par exemple*, p. 88)

— Le silence nous donne un regard neuf sur toutes choses. Nous avons besoin de ce silence afin de toucher les âmes. L'essentiel n'est pas dans ce que nous disons [dans notre vie active], mais dans ce que Dieu nous dit et dans ce qu'il transmet par notre intermédiaire. (*La prière, fraicheur d'une source*, p. 51)

— Nous [Missionnaires de la Charité et Frères de la Parole] sommes appelés à être contemplatifs au cœur du monde d'aujourd'hui. (*Par la parole et par exemple*, p. 80)

Jean Vanier et sa famille ont depuis longtemps adhéré au chemin du silence dans la prière. Les biographes de la mère de Jean décrivent, dans *Portrait de Pauline Vanier : la vie d'une femme*, les réunions hebdomadaires du groupe de méditation chrétienne que cette dernière animait à la communauté de l'Arche, en France. Pauline Vanier faisait jouer des enregistrements de John Main et attirait, à ces réunions de groupe hebdomadaires, des membres en formation de la communauté de l'Arche venus du monde entier.

Jean Vanier a fondé l'Arche voilà quarante ans, en août 1964, à Trosly-Breuil, près de Paris. Aujourd'hui, quelque deux cents hommes et femmes mentalement handicapés et deux cents assistants vivent dans une vingtaine de maisons de ce petit village français et de ses environs. On dénombre, en outre, plus de cent communautés de l'Arche dans le monde. En 1992, Jean a donné le John Main Seminar à Londres, en Angleterre, et il a contribué par ses conseils et son expérience à la genèse des statuts de la Communauté mondiale de méditation chrétienne.

L'activité des communautés de l'Arche est chaque jour davantage tributaire de la prière. Jean Vanier a signifié qu'il serait heureux de voir naître des groupes de méditation chrétienne dans les maisons de l'Arche. Deux communautés — l'une à Kerala, en Inde; l'autre à Edmonton, au Canada — ont subséquemment créé des groupes de méditation chrétienne. Voici quelques réflexions sur le silence dans la prière, essentiellement extraites de conférences de Jean Vanier :

— Prier, c'est être en lien avec notre centre intime. C'est laisser Jésus faire sa demeure en nous et faire en lui notre demeure.

— Une vie spirituelle [...] dans l'amour, la fraternité, la prière et le silence [...] est particulièrement nécessaire au faible [...], au déficient mental. Leur vie de foi ne sera pas principalement une vie d'action, mais de contemplation, c'est-à-dire la vie de qui [...] reçoit la paix et la diffuse, mène une vie nourrie de prière.

— Quand on vit en communauté et que le quotidien est bien rempli et ardu, il est absolument indispensable d'avoir des moments de recul ou de solitude pour prier et rencontrer Dieu dans le silence et le repos. (*La communauté, lieu du pardon et de la fête*, p. 154)

— La prière est comme un jardin secret façonné par le silence, le repos et l'intériorité.

Les fruits de la prière

Ne manquent pas les exemples des rapports qu'entretiennent la méditation chrétienne, l'amour des autres et la compassion. Voici deux récits relatifs à la transformation intérieure qui s'opère sur le sentier de la méditation.

Une mère de cinq enfants habitant New York nous raconte ce qui suit. Dès qu'elle prit la décision de méditer, elle sut que le soutien de son mari lui serait nécessaire. Son mari était cependant plutôt hostile au désir de sa femme de « s'esquiver et de disparaître » chaque jour pour méditer pendant deux périodes d'une demi-heure. Une autre étrange lubie de sa femme, pensa-t-il. Elle eut cependant un éclair de génie et lui dit : « Écoute, je m'occuperai des enfants pendant que tu regarderas les matches de la LNH, le samedi, si tu t'occupes d'eux pendant mes deux périodes de méditation quotidiennes. » L'affaire fut conclue.

Elle s'adonnait à la méditation depuis une année et, un matin, en s'approchant de la table pour déjeuner, son mari lui dit subitement : « Je pense que je vais me mettre à méditer avec toi. » En relatant ces faits, la femme ajoutait : « Une fois revenue de mon complet état de choc, je lui ai demandé : " Qu'est-ce qui se passe? Tu n'as jamais montré de l'intérêt pour la méditation ".» Et il répondit : « Tu as changé depuis que tu t'es mise à méditer. J'ai remarqué que tu es plus gentille et plus patiente avec les enfants et avec moi. J'ai aussi observé que tu te donnes davantage aux autres ». Elle travaillait en effet bénévolement à un service téléphonique pour la prévention du suicide. Puis il ajouta le commentaire le plus important de tous : « Je ne veux plus que tu changes sans, moi aussi, changer avec toi. »

Il y a cette autre histoire, ayant pour cadre une causerie que donnait John Main devant un groupe de méditants de Los Angeles. Le père John traitait du « fruit de l'Esprit », des fruits de la prière qu'énumère saint Paul : amour, joie, paix, patience, bonté, bienveillance, foi, douceur et maîtrise de soi (Ga 5,22). Pendant la période de questions, un participant observa que, même s'il méditait depuis un an, il n'avait relevé aucun fruit de la prière dans sa vie. John Main s'exclama : « Pas le moindre! » « Eh bien, répondit l'homme après un moment de réflexion, il m'est arrivé une petite aventure en venant ici, ce matin. J'étais arrêté à un feu de circulation, à la sortie de l'autoroute. Et voilà qu'une voiture bondée d'adolescents tamponna l'arrière de la mienne. Dans les années qui ont précédé ma pratique de la méditation, j'aurais probablement assommé le conducteur. Au lieu de cela, aujourd'hui, je suis sorti lentement de la voiture, j'ai marché jusqu'à la hauteur du conducteur et je lui ai dit : " Je pense que nous avons un *petit* problème, ici ". »

Quand il rapportait cette histoire, le père John tout sourire faisait ressortir que l'homme en cause avait subi une transformation bien supérieure à n'importe quels dons spirituels temporaires qui pourraient lui échoir en toute une vie. Ce petit acte de maîtrise de soi et de patience était le « fruit » d'une vie de prière, concluait le père John, le fruit de la prière dont parle saint Paul.

Fuir la réalité ou l'affronter

Dans la méditation, nous découvrons la seule réalité fondamentale, c'est-à-dire Dieu. Mais il y a, bien sûr, une autre réalité tout autour de nous : le monde accoutumé de la politique, de l'économie, de la faim, de la souffrance sous ses formes diverses; la famille et la communauté locale; les besoins physiologiques et affectifs du voisin. Maître Eckhart dit que la réalité est aussi cela et que nous trouvons Dieu non seulement dans notre cœur, mais dans notre environnement réel. La pratique de la méditation chrétienne n'est pas une fuite de la vie de tous les jours; en fait, la méditation nous incite à l'amour des autres, au dévouement, à la compassion.

L'ascèse requise sur le sentier de la méditation nous rend effectivement réalistes et attentifs à la réalité environnante. Un conte zen sur la méditation illustre cette affirmation. Un disciple dit : « Mon maître se tient d'un côté du fleuve. Je me tiens de l'autre côté, un morceau de papier à la main. Il dessine dans l'air et l'image apparaît sur mon papier. Il opère des miracles. » L'autre disciple réplique : « Mon maître opère de plus grands miracles :

Quand il dort, il dort.
Quand il mange, il mange.
Quand il travaille, il travaille.
Quand il médite, il médite ».

Une autre histoire, celle-là racontée par le Bouddha, illustre la même idée. On envoya un jour une délégation auprès du Bouddha pour lui demander : « Qui es-tu? Es-tu Dieu? » « Je ne le suis pas », répondit-il. « Dans ce cas, es-tu un ange? » « Je ne le suis pas. » « Es-tu un prophète? » continua-t-on. « Non », répondit-il. « Mais alors, qui es-tu donc? » demanda-t-on. Le Bouddha répondit : « Je suis Éveillé. »

Ces récits éclairent un important aspect de la méditation, nommément que sa pratique ouvre nos yeux et nos oreilles au monde de la réalité qui nous entoure et que, grâce à cette subtile transformation, nous gardons fermement les deux pieds sur terre. Lorsqu'on médite, on entre peut-être dans la « grotte du cœur », mais pas dans une caverne himalayenne. Il est tout bonnement impossible de trouver Dieu en s'isolant des autres humains. Le vrai méditant s'intéresse au monde, se tient au courant de la marche du monde et, contrairement à l'autruche, ne s'enfouit pas la tête dans le sable.

Nos relations désintéressées dans notre vie quotidienne sont la véritable pierre de touche de notre vie méditative. La vertu agissante et les bonnes œuvres jaillissent de la discipline spirituelle du silence dans la prière. En fait, la personne qui médite devrait même être plus intéressée à ce qui se passe dans le monde, précisément parce qu'elle médite. L'amour qui découle de la méditation est imparfait s'il n'est pas partagé. « C'est pourquoi le ciel, où se réalisera la contemplation dans son absolue perfection, ne sera pas un lieu d'individus coupés les uns des autres, jaloux de leur petite vision privée de Dieu; ce sera plutôt un océan d'amour qui coulera dans l'Unique Personne de tous les élus », écrit le père William Shannon dans *Thomas Merton's Dark Path*.

La méditation est une expérience de solitude, pas une expérience d'isolement. Le silence guide le méditant vers Dieu et, simultanément, vers les autres humains.

Chapitre 17

De l'incomplétude à la complétude sur le chemin de la méditation

Si la méditation nous rend à une plus profonde harmonie du corps et de l'esprit, elle reste néanmoins toujours un mûrissement essentiellement spirituel. Tout mûrissement est une forme de guérison, mais pas qu'une guérison rétrospective d'anciennes blessures puisqu'elle pousse toute la personne que nous sommes à une plus grande complétude, ce bien-être en vue duquel nous avons été créés. Nous pouvons donc dire que la méditation est un mûrissement qui ne connaît aucune limitation.

(John Main, *The Present Christ*)

Dans le silence et la paix intérieures où conduit la méditation, l'Esprit oint secrètement l'âme et guérit nos plus profondes blessures.

(Jean de la Croix)

Un temps pour la guérison intérieure

La réconciliation progressive avec la zone d'ombre de notre inconscient est un aspect important de notre cheminement spirituel. Chacun de nous est blessé d'une manière ou d'une autre. Chacun de nous a besoin de guérison intérieure. Le silence, l'immobilité et le profond repos qu'engendre le mantra amorcent la guérison des blessures affectives de la petite enfance. La zone d'ombre de la psyché commence alors à guérir.

Certaines personnes éprouvent une profonde ambivalence à l'égard de leur mère ou de leur père. Elles nourrissent un vif ressentiment qui résulte de la négligence, de la maltraitance, parfois même des abus sexuels dont elles ont été victimes. Les blessures qui affligent la psyché continuent à nous tourmenter si nous ne les dégageons pas de l'inconscient. Nous sommes aujourd'hui de plus en plus sensibilisés à certains des terribles traitements infligés aux enfants en très bas âge.

Il n'y a peut-être pas meilleur moyen, pour rendre compte des vertus curatives de la méditation chrétienne, que de rapporter l'histoire de Cuan Mhuire et de l'œuvre de Galilee House, à Athy, dans le comté irlandais de Kildare.

Le père Pat Murray et sœur Consilio Fitzgerald, qui ont tous deux adhéré aux enseignements de John Main sur la tradition chrétienne du mantra, ont réalisé ce qu'on tenait pour impossible. Ils ont recueilli les êtres les plus blessés et brisés — alcooliques, toxicomanes, dépressifs profonds — et ils ont fondé quatre communautés de thérapie en Irlande. Ces communautés, on les appelle en gaélique *Cuan Mhuire*, ce qui signifie

« refuge d'un grand nombre ». Les centres qui traitent plus de trois cents personnes sont situés à Athy (deux maisons) dans le comté de Kildare, à Bruree dans le comté de Limerick, à Newry, dans le comté de Down et, enfin, à Galway (1994).

Sœur Consilio, membre des Sisters of Mercy, a entrepris son travail auprès des alcooliques il y a trente ans alors qu'elle était à l'emploi d'un hôpital, à Athy. Amorcé dans une petite bicoque au plancher de terre battue où elle servait le thé et « se mettait à l'écoute », son apostolat s'est élargi au fil des ans au point d'englober trois grandes résidences communautaires. Il y a quelques années, sœur Consilio et le père Pat Murray, un Pallottine qui avait une mission et une vision semblables, unissaient leurs efforts et fondaient ensemble à Athy une résidence appelée Galilee, en s'inspirant du livre *Community of Love* de John Main. Le père Murray avait passé sept mois auprès de John Main, au Prieuré de Montréal, en 1981-1982. Galilee House est une maison de prière et un foyer où grandir. En deux mots, elle vise le rétablissement et la régénération de l'individu.

Selon le père Pat, le processus de réadaptation de Galilee est directement relié à la guérison résultant des trois périodes de méditation chrétienne prescrites chaque jour à la résidence. À 9 h 30, 15 h 30 et 19 h, tous se rassemblent pour écouter l'enregistrement d'une causerie de John Main et s'adonner ensuite à une demi-heure de méditation en silence. On récite aussi, matin et soir, l'office divin. Quarante chaises ou tabourets de méditation et une plaque dédiant la pièce à la mémoire de John Main meublent la salle de méditation de la résidence. Sur une autre plaque sont exposés les *principes* de la méditation.

En plus de ces activités à caractère spirituel, ceux qui fréquentent Galilee participent quotidiennement à deux séances de thérapie où l'on presse chacun de prendre sa vie en mains et, avec le soutien des autres, de dire *oui* à la vie. De l'avis du père Pat, la transformation intérieure s'opère d'abord par la discipline quotidienne du mantra :

> Impossible de séparer […] nos périodes de méditation et notre action. La qualité de notre présence aux autres a tout autant partie liée à la méditation que ce à quoi nous nous employons dans l'immobilité et le silence. C'est pour cette raison que tout notre personnel et tous nos patients méditent. La vraie prière devient un réservoir d'amour qui s'épanche dans le service des autres.

Au cours de nos échanges, le père Pat et sœur Consilio soulignent que la plupart des gens dirigés vers Cuan Mhuire éprouvent de la colère rentrée ou du ressentiment refoulé, et qu'ils ont souvent souffert d'un manque d'indulgence dans leur vie. Les névroses et blessures sont généralement présentes dans leur inconscient depuis la tendre enfance ou l'adolescence, explique le père Pat. Plusieurs ont été des enfants abusés. Très souvent, signale-t-il, ces blessures remontent à un rapport névrotique du bénéficiaire avec ses parents, rapport malheureusement susceptible d'en faire un estropié affectif. Faute d'un environnement humain et affectueux, son besoin de se réaliser comme personne a été nié, continue le père Pat. Son besoin d'être vu, entendu, cru, reconnu et de se sentir sain et sauf a été nié de quelque manière. De ce fait, le bénéficiaire se sent d'une certaine façon honteux, craintif, coupable ou perpétuellement rebelle.

Le père Pat affirme sans ambages que, si la psychothérapie est quelque peu utile, la méditation est la cause véritable de la guérison des personnes inscrites à ce programme. « Au contact *du* remède, abrège-t-il, les gens commencent à guérir. » « Dans le silence de la méditation, explique-t-il ensuite, Dieu qui est amour pénètre jusque dans l'inconscient profond et permet à la blessure étouffée de faire surface et de guérir. » « Exposées à la lumière, dit-il aussi, les névroses commencent à s'évanouir. » Le pouvoir de guérison du Christ débarrasse, selon lui, des souvenirs empoisonnés.

Il fait aussi valoir que, si la méditation n'efface pas les souvenirs, ils perdent néanmoins alors leur emprise sur nous. Une fois que les souvenirs ont été repérés et ramenés à la conscience, dit le père Pat, le Christ nous libère des effets débilitants de ce que nous avions enseveli dans notre inconscient et nous apporte la guérison intérieure. « Dans la méditation, ajoute-t-il, nous en venons à nous accepter tel que nous sommes. Et l'acceptation de soi est le premier pas important vers l'intégration de la personnalité et vers la guérison. »

Dans la méditation, explique le père Pat, nous parvenons à la conviction, fondée sur l'expérience, que nous sommes aimés, profondément aimés par une autre personne. Nous comprenons intimement que cette expérience *n'est pas* que j'aime, mais que je *suis* aimé. Par cette acceptation du don de l'amour, nous passons de l'enfance à l'âge adulte. Dans le processus curatif de la méditation, répète-t-il, les névroses et les troubles psychiques de toutes sortes s'évanouissent devant l'inépuisable et la douce énergie dégagée par la récitation amoureuse de chaque syllabe du mantra dans *l'instant présent.*

Quel est donc le processus qui induit cette guérison intérieure, la guérison de la sensibilité écorchée, la guérison des maux? La simple récitation du mantra dans la méditation, note le père Pat, nous ouvre à la guérison de l'amour. Dans le silence de la méditation, Dieu descend dans ces abîmes et nous libère petit à petit des ravages affectifs d'une vie entière. Le moment venu s'opère le dévoilement systématique des névroses profondes.

Dans la méditation, dit encore le père Pat, on désencombre le niveau conscient de telle manière que l'inconscient peut faire surface. Dans la méditation, on cerne sa douleur et on l'amène à la conscience. Le processus thérapeutique de la méditation chrétienne peut alors s'amorcer. Ce chemin, conclut le père Pat, conduit de l'incomplétude à la complétude.

Comment savons-nous que nous sommes guéris? Nous pouvons le confirmer dès qu'ont disparu les réactions, disproportionnées et récurrentes, associées à la douleur. Et le souvenir des événements traumatisants, qu'il trouve ou non à s'exprimer, ne laisse alors même pas trace de sensations vivaces ou douloureuses de quelque nature.

« La méditation, dit le père Pat, est l'un des plus formidables adjuvants que je connaisse, par expérience, dans le processus de guérison des traumatismes passés. »

Il existe une autre excellente source de renseignements sur le « passage de l'incomplétude à la complétude » : les enregistrements sur cassette des enseignements de Jean Vanier dans le cadre du John Main Seminar de 1992[4]. (Sur le rôle de la Communauté mondiale de méditation chrétienne, voir le chapitre 21.)

La femme rencontrée au puits

Arrive une femme de Samarie pour puiser de l'eau. Jésus lui dit : « Donne-moi à boire ». Ses disciples, en effet, étaient allés à la ville pour acheter de quoi manger. Mais cette femme, cette Samaritaine, lui dit : « Comment? Toi, un Juif, tu me demandes à boire à moi, une femme samaritaine! » Les Juifs, en effet, ne veulent rien avoir de commun avec les Samaritains. Jésus lui répondit : « Si tu connaissais le don de Dieu et qui est celui qui te dit : " Donne-moi à boire ", c'est toi qui aurais demandé et il t'aurait donné de l'eau vive ». La femme lui dit : « Seigneur, tu n'as même pas un seau et le puits est profond; d'où la tiens-tu donc cette eau vive? Serais-tu plus grand, toi, que notre père Jacob qui nous a donné le puits et qui, lui-même, y a bu ainsi que ses fils et ses bêtes? » Jésus lui répondit : « Quiconque boit de cette eau-ci aura encore soif; mais celui qui boira de l'eau que je lui donnerai n'aura plus jamais soif; au contraire, l'eau que je lui donnerai deviendra en lui une source jaillissant en vie éternelle ». La femme lui dit : « Seigneur, donne-moi de cette eau pour que je n'aie plus soif et que je n'aie plus à venir puiser ici ».

(Jn 4,7-15)

---

[4]   On peut se les procurer en s'adressant à la Communauté mondiale de méditation chrétienne (Medio Media) et à ses distributeurs dans le monde entier.

Jésus dit : « Si tu connaissais le don de Dieu, tu aurais de l'eau vive, une source jaillissant en vie éternelle. » Jean reconnaît dans cette source d'eau vive le Saint-Esprit. Pour sa part, Thomas Merton observe que les écrivains spirituels ont depuis toujours employé les mots « eaux vives » pour décrire le silence de la voie contemplative. Merton écrit dans *Aux sources du silence* :

> Car il y a de l'ivresse dans les eaux de la contemplation, dont le mystère fascina et combla de délices les premiers Cisterciens et dont l'image se retrouve encore dans le nom de ces monastères de vallée, au cœur des forêts, sur les bords de pures rivières ou parmi les rochers animés de sources.

> Ce sont les eaux que le monde ignore, parce qu'il leur préfère l'eau d'amertume et de contradiction. Ce sont les eaux de paix dont le Christ a dit : « Celui qui boira de l'eau que je lui donnerai, n'aura plus jamais soif, mais l'eau que je lui donnerai deviendra une source jaillissant jusqu'à la vie éternelle. » (p. 282)

Ces eaux-là, dit Merton, coulent en silence.

Dans la rencontre au puits, chacun de nous doit devenir la femme de Samarie. Tous, d'une manière ou d'une autre, nous sommes brisés, blessés comme elle l'était. Mais Dieu nous demande de boire. Il nous y invite. Et son eau vive coule en silence — c'est le don de la méditation. Nous pouvons soit refuser ce don soit l'accepter. La décision nous appartient. Mais l'invitation est lancée. On a ainsi frappé à notre porte.

Pour nous qui méditons, ce récit de la femme au puits recèle un profond symbolisme. Dans cette histoire, Jésus est le guérisseur, un Dieu d'amour démesuré. Et la femme samaritaine est réellement en chacun de nous. Comme elle, nous sommes souvent souffrants, brisés, blessés, furieusement impatients de nous sentir aimés et aimables. Jésus lui dit et nous dit : « Si tu savais le don de Dieu ». Nous arrivons à faire l'expérience de ce don de Dieu dans nos périodes de méditation quotidiennes.

Jésus se révèle progressivement à nous et nous révèle progressivement son amour pour nous dans notre fidélité à la prière silencieuse. Notre adhésion au chemin de la méditation guérit notre nature blessée, nous change et nous transforme. Mais le changement, la transformation ne sont jamais faciles. En 1991, au John Main Seminar de Londres, Jean Vanier a traité éloquemment de la transformation de soi.

Comme de raison, nous ne voulons pas changer. Nous aimons rester tels que nous sommes parce que changer est mourir, mourir à son ego, à son faux moi. Lorsque nous entreprenons le pèlerinage de la méditation, nous nous accrochons à ce qui nous est familier et nous appréhendons le voyage dans l'inconnu. Nous hésitons à délaisser les mots, les images et notre imagination pour simplement nous asseoir en silence devant le Seigneur. Nous continuerions plus volontiers à papillonner. Voilà pourquoi, dit John Main, la méditation exige parfois du courage; en dernière analyse, elle est sentier de foi pure. Dans la méditation, Jésus veut que nous empruntions le chemin de l'insécurité pour pouvoir ainsi découvrir qu'il est, dans les faits, notre sauvegarde.

À chacun de nous, Jésus pourrait dire : « Si tu savais le don de Dieu. Combien je veux t'aimer, combien je veux te transformer par le chemin du silence et de l'immobilité dans la prière… Combien je veux que tu regorges et débordes d'eaux vives, de compassion et d'amour pour les autres ».

Jésus jeta sur la Samaritaine et jette sur nous un regard amoureux. Sans jugement ni condamnation. Il lui disait et il nous dit : « Si tu savais à quel point je t'aime tel que tu es. » Peut-être ne commençons-nous à faire l'expérience du véritable amour que lorsque nous mesurons l'abîme de notre pauvreté, de la pauvreté du mantra dans nos moments de méditation.

Dans une de ses conférences dans le cadre du John Main Seminar, Jean Vanier observa que, comme la Samaritaine, nous ne pouvons nier notre incomplétude, notre faiblesse, nos imperfections. Mais Jésus est doux, il ne nous condamne pas, ne nous critique pas, ne nous accable pas. Il se contente de toucher du doigt nos blessures, pendant la méditation, et nous commençons alors à guérir. Nous cessons de fuir et nous accueillons notre vulnérabilité comme la Samaritaine. La méditation nous apprend à ne pas prétendre que nous ne sommes pas blessés, à accepter notre incomplétude. À ne pas prétendre que tout va bien, mais à nous ouvrir au pardon. Dans la méditation, nous découvrons, comme la Samaritaine, que nous sommes inconditionnellement aimés. Nous découvrons qu'un Dieu d'amour inconcevable nous tient dans ses mains.

La méditation a donc le pouvoir de nous guérir. Les mots *méditation* et *médecine* ont d'ailleurs la même racine. La médecine guérit le corps; la méditation guérit l'esprit. Toutes deux exercent un pouvoir de guérison. Et tout comme Jésus a guéri au puits la femme samaritaine, nous sommes guéris par sa présence dans la méditation. Être guéri signifie simplement devenir complet, redevenir intact.

Jésus s'adresse donc à chacun d'entre nous quand il dit : « Si tu connaissais le don de Dieu et qui est celui qui te dit : " Donne-moi à boire ", c'est toi qui aurais demandé et il t'aurait donné de l'eau vive » (*Jn* 4,10). Il suffit de demander.

Dans le silence de la méditation, nous devenons en fait un puits... une source d'eaux vives, ces eaux de paix dont le Christ a dit : « Quiconque boit de cette eau-ci aura encore soif; mais celui qui boira de l'eau que je lui donnerai n'aura plus jamais soif; au contraire, l'eau que je lui donnerai deviendra en lui une source jaillissant en vie éternelle » (*Jn* 4,14-15).

Chapitre 18

S'engager sur le chemin de la méditation et y persévérer

Il n'y a pas de demi-mesures. Impossible de décider de faire un peu de méditation. Il n'y a qu'une option : méditer et enraciner sa vie dans la réalité. [...] Dans la mesure de ma compréhension, tel est le sens de l'Évangile. C'est le sens de la prière chrétienne. S'engager à la vie, s'engager à la vie éternelle. Jésus enseigne que le royaume des cieux est ici et maintenant. Il suffit d'y être ouvert, ce qui veut dire d'y être engagé.

(John Main, *Le chemin de la méditation*, p. 64)

Mais cheminer sur la [...] voie de Vie illimitée [...] exige de notre part ouverture, générosité et simplicité. Par-dessus tout, cela exige de nous engager. Non pas nous engager dans une cause ou une idéologie, mais nous engager dans notre vie à la simplicité du retour quotidien aux racines de notre existence, nous engager à répondre à la vie avec égard, à créer un espace dans notre vie pour vivre pleinement. Dans la méditation, dans le silence et la simplicité de la méditation, nous apprenons que nous n'avons rien à craindre en nous engageant à créer cet espace.

Tous, je pense, nous avons peur de nous engager parce que cela semble réduire nos options. Nous nous disons en nous-mêmes : « Si je m'engage à méditer, je n'aurai plus de temps pour autre chose ». Mais tous, je pense, nous constatons que cette peur se dissipe dès que nous nous engageons concrètement à être sincères, à être ouverts, à ne pas vivre de la surface de notre être, mais de son tréfonds. Nous constatons tous que nos horizons s'élargissent plutôt qu'ils ne rétrécissent, dans l'expérience de la méditation, et nous y expérimentons non la contrainte, mais la liberté.

(John Main, *Le chemin de la méditation*, p. 58-59)

L'expérience du désert

Notre pèlerinage méditatif semble comporter trois étapes de croissance. On appelle *conversion* la première étape. La caractérisent l'enthousiasme et le zèle de néophyte que nous apportons à nos périodes de méditation quotidiennes lorsque nous abordons ce cheminement. La seconde étape de croissance se démarque par une *discipline* de plus en plus intériorisée : nous passons quotidiennement à la pratique, sans exigence aucune de « résultats ». Il faut parfois bien du temps pour parvenir à cette étape. Nous sommes tellement conditionnés, dans notre société et dans notre existence personnelle, à constater des résultats pour chaque effort déployé. Or cette deuxième étape requiert l'indifférence à ce qui survient dans nos périodes de méditation quotidiennes. Nous sommes indifférents aux dis-

tractions ou au silence. Nous ne cherchons pas de
« résultats ». Nous nous tenons simplement chaque
jour devant le Seigneur, dans nos moments de prière,
et ne formulons aucune demande. Nous n'entretenons
pas d'attentes.

Le cheminement spirituel

Dans notre cheminement spirituel peut aussi se
manifester une période d'aridité, de turbulence, de
distractions, de néant où Dieu semble avoir disparu.
Nous n'arrivons pas à le trouver. On dirait qu'il nous a
quitté. Cette étape du cheminement est notre traversée
des solitudes désertiques.

Saint Jean de la Croix appelle cela la « nuit obscure
de l'âme ». Pas la moindre consolation, dit-il, dans ce
passage où nous nous sentons abandonnés de Dieu,
passage qu'il qualifie de nuit obscure et purgative des
sens. Dans *La nuit obscure* (I,1), comparant l'âme à un
petit enfant et Dieu à une mère, il écrit : « À mesure
que son enfant grandit, elle s'applique peu à peu à lui
enlever les caresses, à lui cacher la tendresse de son
amour, à l'éloigner de son doux sein [...] à le poser
par terre, pour qu'il s'exerce à marcher par lui-même
[...] » (*Œuvres spirituelles*, p. 485).

Quatre brèves citations sont des plus pertinentes
au désert. La première, qui a trait à Jésus, provient du
Nouveau Testament : « Et il se retirait dans les lieux
déserts et il priait » (*Lc* 5,16). La deuxième, extraite
de l'Ancien Testament, est une parole que Dieu
adresse à Osée, en parlant symboliquement d'Israël
comme de l'épouse du prophète : « Je la conduirai au
désert et je parlerai à son cœur » (*Os* 2,16). La troisième
citation est de Thomas Merton : « La prière contem-

plative est simple prédilection pour le désert, la viduité, la pauvreté. » Et la dernière citation est empruntée au père Robert Wild, dans *The Post-Charismatic Experience* : « Dieu est au désert. Ne crains pas d'y entrer. Il est réellement impossible de le trouver ailleurs [...]. Il t'aime, il t'attend dans le désert pour t'embrasser et te conduire à la maison. »

Le désert dans les Écritures

Le désert a toujours une signification et une fonction spéciales dans l'Ancien Testament comme dans le Nouveau. Les gens se retirent immanquablement en ce lieu quand ils cherchent la solitude, le silence et la proximité de Dieu.

Tout ce développement qui vise à clarifier les rapports de la méditation à l'expérience du désert doit beaucoup, il faut le reconnaître, aux nombreuses intuitions du moine cistercien Charles Cummings, auteur de *Spirituality and the Desert Experience*.

L'expression « expérience du désert » renvoie ceux qui empruntent le chemin de la méditation au cheminement intérieur de prière où chacun entreprend de « renoncer » aux attaches, où le désert devient instrument de transformation. C'est un chemin intérieur qui conduit à la liberté, à la paix, à l'amour, à la joie. Confiance et foi amoureuses en Dieu sont le secret pour survivre et même pour s'épanouir dans le désert. Dans l'expérience du désert en méditation, nous nous découvrons une intimité et une parenté spéciales avec le Seigneur. Dans le désert, nous faisons l'expérience de Dieu d'une manière inédite.

Cela ne va pas néanmoins sans un formidable paradoxe, écrit le père Cummings. L'expérience du désert est généralement un temps de purification, de purgation, d'émondage. Expérience du désert signifie purge de l'égocentrisme. Pour l'adepte du chemin de la méditation, l'expérience du désert signifie souvent aridité et sécheresse, impression d'ennui, voire sentiment d'être abandonné de Dieu. Nous ne ressentons plus dès lors l'aimante présence de Dieu dans nos périodes de méditation quotidiennes. Ce qui peut particulièrement se traduire par des distractions incessantes pendant la méditation, quand le silence intérieur paraît hors de portée. Un méditant contemporain a exprimé en langage moderne l'expérience du désert : « Dieu semble à des milliards d'années-lumière. Il a tout bonnement disparu. Il est inexplicablement absent ». Au désert, à coup sûr, il y a absence de consolations.

> La perspective du désert effraie tellement la plupart des gens, disait Thomas Merton, qu'ils refusent de poser le pied sur ses sables brûlants et de s'aventurer entre ses rochers. Ils n'arrivent pas à croire qu'on puisse parvenir à la contemplation et à la sainteté dans un lieu désolé où il n'y a nourriture ni abri ni de quoi combler leur imagination, leur intellect ou leurs appétits naturels.

Dans notre vie personnelle, l'expérience du désert peut prendre la forme d'un traumatisme, de la perte d'un être cher, de la maladie, de la souffrance physique ou affective, de la solitude, de la séparation, d'un divorce, de difficultés dans la vie professionnelle, de problèmes physiologiques liés au vieillissement. Des difficultés personnelles peuvent nous entraîner dans le désert.

Jésus a été tenté au désert, nous le serons donc aussi. Répétons-le, le désert est un temps d'épreuve spirituelle. Dans le désert de la viduité, de la sécheresse et du sentiment que Dieu est absent, nous pouvons être tentés de sauter nos périodes de méditation. Nous pouvons prétexter que nous nous rattraperons plus tard, que nous ne sommes pas d'humeur à méditer... que nous devons nous consacrer à quelque apostolat ou à de « bonnes œuvres ». Notre prétexte cache du ressentiment. Nous sommes blessés. Dieu semble nous avoir laissé tomber. Nous nous cherchons des excuses et nous nous disons à nous-mêmes : « Si je me montre assez généreux pour donner à Dieu deux demi-heures de mon temps chaque jour, il pourrait au moins me donner un petit coup de pouce. » John Main nous met en garde contre ces formes d'autoanalyse et de remise en question de la méditation. Nous sommes justement censés, dans la méditation, nous distancer de tout souci de soi.

Méditation et expérience du désert

John Main savait pertinemment qu'il n'est pas en notre pouvoir de forcer Dieu à se révéler à nous. Seule la foi — telle qu'elle s'exerce dans la répétition fidèle du mantra et l'acceptation de la pauvreté du mantra — nous sauvera. Les Israélites séjournèrent quarante années dans le désert; ils en tirèrent l'enseignement qu'il n'était guère en leur pouvoir de se sauver eux-mêmes : la situation échappait foncièrement à leur contrôle et ils devaient mettre toute leur confiance en Dieu qui pourvoirait à leurs besoins et les guiderait jour après jour.

Dans notre expérience personnelle du désert, dans la pauvreté et la viduité de la méditation, il nous faut aussi apprendre à accepter notre impuissance et notre néant pour que Dieu puisse nous remplir de lui-même. Thomas Merton expose tellement bien ce paradoxe :

> Nous ne sommes véritablement en mesure de faire l'expérience de cette présence que lorsque, et seulement lorsque nous réussissons à « renoncer » à tout ce qui est au-dedans de nous, à tout désir de voir, de connaître, de goûter et de faire l'expérience de la consolation divine.

L'expérience du désert dans la méditation nous révèle qu'il faut croire en la présence de Dieu et en son amour, même quand il semble absent en permanence. Jusqu'à ce qu'il vienne nous délivrer, nous devons nous montrer persévérants dans nos périodes de méditation. Dans l'expérience du désert, Dieu suit son propre horaire.

L'expérience du désert nous met au défi de triompher de notre égocentrisme. Pouvons-nous méditer sans nous soucier du lieu où Dieu nous guide? Pouvons-nous méditer fidèlement quand des distractions nous assaillent? Pouvons-nous méditer quand rien « ne se produit » dans la méditation? Pouvons-nous nous défaire de notre désir de posséder Dieu, nous dépouiller de tout désir, de toute consolation spirituelle dans la méditation?

Pouvons-nous méditer avec une générosité et un zèle toujours grandissants? Jamais notre foi ne sera pure si nous n'y arrivons pas. Ainsi le désert purifie nos motifs. Le désert nous met au défi de nous oublier dans la prière. Le désert grignote notre égocentrisme. Le désert est, répétons-le, un lieu où nous sommes tentés et mis à l'épreuve, amenés à la connaissance de soi, purifiés et affermis dans la foi.

Toujours, nous préférons au désert la voie de la facilité, le chemin le moins éprouvant, dit le père Cummings. Cela va de soi, nous préférons nous trouver en terre promise plutôt qu'au désert. Satan aussi a proposé à Jésus la terre promise, la terre d'abondance, mais Jésus a préféré le désert jusqu'à ce que l'esprit de Dieu le mène ailleurs. Le désert est la voie de Dieu jusqu'en terre promise — union avec lui. Dans notre cheminement méditatif, nous devons apprendre à aimer le désert puisque c'est un moyen de nous placer dans les mains de Dieu, avec assurance et confiance. Dans le désert du doute, de la tentation, de l'ennui, de l'aridité et de la distraction, le méditant vit de sa foi en Dieu, de son obéissance à Dieu.

Le désert, terre de beauté

Mais l'expérience du désert recèle un formidable paradoxe. Le désert peut aussi se révéler une terre de beauté, de repos et de paix. Une terre où nous pouvons entendre Dieu dans le silence de notre cœur, où nous pouvons parfois sentir obscurément sa présence, où nos yeux commencent à s'ouvrir. Si nous nous montrons fidèles à la méditation, nous finirons par aimer le désert.

Dieu a veillé sur les Israélites dans le désert et les a nourris d'aliments venus du ciel. Le désert n'est pas une terre de tristesse. Ce peut être une terre de grande joie. Il y a des fleurs entre le sable et les rochers, il y a de la vie, il y a de la beauté. Dieu habite le désert et nous y guide. L'expérience du désert peut donner l'impression de s'éterniser, mais l'histoire du salut nous assure que le désert ne dure pas indéfiniment.

> Qu'ils se réjouissent, le désert et la terre
>   aride,
> que la steppe exulte et fleurisse,
> qu'elle se couvre de fleurs des champs,
> qu'elle saute et danse et crie de joie!
> (*Es* 35,1-2)

Dieu est notre guide dans le désert. Il ne permettra jamais que nous soyons éprouvés au-delà de nos forces ou que nous fassions l'expérience de la solitude et de la viduité au-delà des limites du supportable. Par le pouvoir de la grâce de Dieu et de son Esprit saint présent en nous, nous pouvons « consentir » à son apparente absence dans notre expérience du désert.

Joie dans le désert

Quel paradoxe! Nos sentiments de solitude et de viduité intérieure dans le désert peuvent simultané-ment coexister en notre cœur avec une paix et une joie profondes, avec le sens de l'humour. Dans le dé-sert, nous pouvons entretenir un amour compatissant, une espérance et une joie transfiguratrices dans le Christ ressuscité qui demeure en nous. Au désert, la vie continue.

Mais il y a plus encore : dans le désert, nous sommes invités à une *intimité*. Dieu nous invite, par le Cantique des cantiques, à nous associer à lui dans une vie plus profonde. Et dans cette vie nouvelle de l'Esprit, nous trouvons sustentation et joie.

> Debout, toi, ma compagne,
> ma belle, et viens-t'en.

Car voici que l'hiver passe;
la pluie cesse, elle s'en va.
On voit des fleurs dans le pays;
la saison de la chanson arrive;
et on entend dans notre pays
la voix de la tourterelle.
(*Ct* 2,10-12)

Gravir la montagne du Seigneur

Le pèlerinage géographique est la représentation symbolique du voyage intérieur. (Thomas Merton, Mystics and Zen Masters [Mystique et zen]*)

Là on construira une route
qu'on appellera la voie sacrée.
[...]
Ceux qui appartiennent au Seigneur
prendront cette route.
Ils reviendront, ceux que le Seigneur a
rachetés [...].
(*Es* 35,8-10)

Il arrivera dans l'avenir que la montagne
de la Maison du Seigneur
sera établie au sommet des montagnes
et dominera sur les collines.
Toutes les nations y afflueront.
Des peuples nombreux se mettront en
marche et diront :
« Venez, montons à la montagne du
Seigneur,
à la maison du Dieu de Jacob.

---

* Nous traduisons (NdT).

Il nous montrera ses chemins
et nous marcherons sur ses routes. »
(*Es* 2,2-4)

Il y a quelques années dans le comté de Cumbria, comme des milliers d'autres randonneurs au fil du temps, j'ai fait l'escalade des Hart Crag et Dove Crag (2 698 pieds d'altitude) à partir du lac Brotherswater. Un guide des montagnes orientales de Grande-Bretagne décrit Dove Crag comme « un des escarpements les plus impressionnants d'Angleterre ». J'avais passé six jours à faire de l'alpinisme dans les magnifiques Cumbrian, m'aventurant jusqu'au sommet du Hayeswater, du Green Hill qui surplombe le Ullswater, du Angle Tarn et d'autres monts qui encadrent Patterdale et Hartsop. Ce « pèlerinage » singulier ne se voulait au départ « qu'une autre ascension ». Pourtant, cette ascension serait peut-être l'avant-dernière de mon existence. Pourquoi? Parce que, pour emprunter les mots de Thomas Merton, cette ascension particulière est devenue pour moi le symbole d'un cheminement spirituel *universel*, un cheminement applicable à quiconque gravit la montagne du Seigneur. Tout cela ne m'est apparu clairement qu'après l'ascension de ce jour-là.

Le départ

Le lac Brotherswater est le point de départ de l'escalade des Crags; il faut d'abord gravir un à-pic jusqu'à une corniche qui conduit, direction sud-ouest, à Hart Crag. Même si on part tôt le matin et si on est alors « frais et dispos », la première étape est éprouvante et oblige à de fréquents arrêts pour respirer à fond et refaire le plein d'oxygène. Cela ressemble beaucoup aux débuts du cheminement spirituel : les départs et les arrêts se multiplient, le temps de s'adapter, par exemple, à la discipline quotidienne des moments réservés à la méditation silencieuse. Le simple fait de se mettre en route, dans l'un et l'autre cheminement, représente un défi. Mais dans le cheminement spirituel, le spectacle de la « montagne du Seigneur » qui se dessine devant soi insuffle un élan généralement suffisant pour se hisser jusqu'à la hauteur de la première corniche. C'est la première étape du cheminement spirituel qui, lui, s'étire de la « vallée » jusqu'au « sommet de la montagne ». La montagne symbolise le lieu de *rencontre avec Dieu*.

La corniche

Après quarante minutes d'escalade en à-pic, on accède à une corniche franchement aplanie et on a une magnifique vue panoramique sur Deepdale Beck, à droite, et Dovedale Beck, à gauche. J'en ai alors le cœur transporté. Le soleil est radieux et tout semble aller pour le mieux. La suite? Une banale randonnée pédestre de quelques milles jusqu'au pied de Hart Crag et Dove Crag. Un ancien mur de pierres, élevé pour contenir les moutons, s'étend devant moi sur la corniche et m'inspire un sentiment de sécurité, de permanence, d'organisation ainsi qu'une petite pointe d'appréhension. Soudain, droit devant moi, le spectacle de Hart Crag et Dove Crag se dérobe dans un épais nuage et dans l'obscurité. Pas qu'un nuage, comme je le découvrirai plus tard à mon grand déplaisir, mais du brouillard, de la pluie et un vent violent.

Mais pour l'heure, le sentier devant moi paraît engageant et plutôt commode. Notre pèlerinage spiruel, après l'effort initial, se poursuit souvent sur un sentier étroit et rectiligne. Nous avons l'impression d'y flotter, confiants que nous atteindrons sans trop de mal notre destination. Dieu nous porte dans ses bras. Tout va pour le mieux dans le meilleur des mondes. L'abnégation, la méditation, tout cela semble aisé, facile.

L'effroi

Après une heure de marche sur la corniche, j'éprouve subitement de l'effroi et un moment de panique. Dans le lointain, une trentaine de chiens de chasse, sans nul doute lâchés par leur propriétaire dans la vallée, semblent foncer droit sur moi. À mesure qu'ils se rapprochent, mon appréhension et ma peur s'accroissent dramatiquement. La perspective d'être mis en pièces par trente chiens féroces dans un lieu écarté du Cumbria ne me sourit guère. Je prie le Seigneur qu'il me délivre. Pratiquement, mon seul espoir d'en réchapper semble de grimper sur le mur de pierres. Les chiens continuent de courir droit dans ma direction quand soudain, à quelques verges seulement de moi, ils prennent à gauche et sautent l'un après l'autre le mur avant de disparaître en bas, dans la vallée. Foutaise que ce sentiment de sécurité sur le mur!

Le rapport entre cette dernière expérience et le pèlerinage spirituel? À mon sens, la croissance spirituelle exige de la confiance, de faire fond sur la puissance et le plan divins plutôt que sur ses forces personnelles. Les chiens sont peut-être un rappel qu'il nous faut être prêts, à en venir aux prises avec notre part d'ombre et avec les bêtes en nous. L'escalade de la montagne est un processus de dépouillement qui a pour but de nous purifier, à des niveaux toujours plus profonds,

de notre égoïsme et de notre orgueil. Ce dépouillement laisse à nu notre viduité intérieure. Ce processus
(un peu comme les chiens) peut paraître terrifiant.
Dieu nous demande ainsi de nous rendre vulnérables;
il exige une confiance absolue en sa capacité de nous
guider sur le droit chemin. Il nous veut confiants qu'il
prendra soin de nous, il veut que nous ayons foi en sa
présence et en sa puissance.

Jusqu'au sommet

Après une heure et demie de randonnée pédestre
sur la corniche, en direction de « la montagne », le
temps commence à se gâter. Le vent se lève en rafales,
annonce la tempête. Finalement, au pied de Hart Crag,
l'instant terrible et décisif. Assis sur des pierres pour
me reposer, je sais qu'il me faut arrêter une redoutable
décision. Dois-je retourner sur mes pas? Dans la
direction d'où je viens, le soleil brille! Mon regard
remonte une ravine, presque à la verticale, de rochers
aux arêtes vives; je ne distingue même pas la cime de
Hart Crag dissimulée dans un épais nuage. Je n'ai
aucune idée de la distance qu'il me reste à parcourir et
j'en suis perplexe. Humainement parlant, la tentation
est grande de retourner sur mes pas, d'abandonner, de
réessayer peut-être un autre jour. Et subitement, la
grâce de Dieu! Il m'apparaît parfaitement clair que je
n'ai d'autre choix que de continuer… d'escalader le
Crag. Avec la décision de poursuivre me vient
instantanément la force. L'escalade d'une durée de
quarante-cinq minutes est étonnamment aisée. Même
le vent violent faiblit dans la ravine qui conduit au
sommet.

Vient un moment, dans le cheminement spirituel et dans la pratique quotidienne de la méditation, où l'on est tenté de rebrousser chemin. C'est même arrivé au peuple élu de Dieu, dans le désert du Sinaï. Comme l'observe Charles Cummings dans *Spirituality and the Desert Experience*, Dieu avait promis aux Israélites « qu'il les guiderait dans le désert jusqu'à une terre de liberté et d'abondance. Mais les Israélites passaient alternativement du doute à la confiance en la promesse de Dieu ». À un moment donné, ils prirent majoritairement le parti de retourner en Égypte et en esclavage plutôt que de supporter les tribulations et les privations du désert. Seuls furent autorisés à entrer en terre promise ceux qui avaient gardé la foi, dont la confiance en la présence et en la promesse de Dieu était restée inébranlable.

Le chemin jusqu'à la montagne du Seigneur n'est pas un chemin réconfortant ni rassurant. C'est souvent un chemin de doute. Notre confiance dans le Seigneur est mise à l'épreuve. Dans notre cheminement spirituel, nous devons être confiants que Dieu est présent et qu'il nous aime, même quand il semble absent en permanence. Il nous apprend à ne pas nous décourager dans les périodes de méditation où il semble avoir disparu, où nous sommes totalement distraits. Il nous apprend encore à nous fier à son itinéraire de voyage… il nous apprend qu'il nous guide sur le droit chemin.

Le faîte de Hart Crag

Enfin, au faîte de Hart Crag, un moment d'exultation et de consolation pour avoir atteint le sommet. Mais un trop bref instant. Pas de soleil, là-haut. Un soupçon de sentiment d'étrangeté. Et toujours l'épais nuage, la pluie, le brouillard et le vent violent. Le tracé du sentier se discerne à peine. La seule idée qui m'occupe pour l'heure, humainement parlant, est de survivre, de trouver un sentier qui longe la corniche des Crags, puis un chemin pour rentrer à la maison. Que de peur et d'angoisse là-haut! Ai-je emprunté le bon chemin? Suis-je seul ici? Qu'est-ce qui m'attend si je fais une chute et m'inflige une blessure? Je prends soudainement conscience que je peux mourir ici. On se pose des tas de questions au sommet. Vite, il devient clair qu'on n'aura pas de répit sur le faîte de la montagne. Pas même un moment pour s'asseoir, manger et boire. Tout se résume maintenant à une seule question : repérer et explorer un chemin pour rentrer chez soi.

Beauté et austérité cohabitent là-haut, mais on n'a guère le loisir d'admirer la beauté. Deux heures s'écoulent en explorations fébriles. On ne chôme pas là-haut. Malgré le brouillard et la pluie, je croise plusieurs autres randonneurs qui ont grimpé jusqu'au sommet de Hart Crag. Nous échangeons des plaisanteries et des renseignements. Mais personne ne paraît à même de m'expliquer avec précision comment retourner à Brotherswater et au point de départ de mon parcours. Tous ont emprunté des trajets différents, suivent leur propre chemin.

Le fait d'être au sommet de la montagne, au sens spirituel, requiert même une plus grande confiance en la présence et en la protection constantes de Dieu. Il faut un esprit de joyeuse confiance lorsqu'on cherche des yeux le chemin qui ramène à la maison. Il faut également parcourir en tous sens le sommet de la montagne aussi longtemps que Dieu nous veut là-haut.

Sans oublier le service de Dieu. Dans l'attente qu'il nous montre le droit chemin, dans l'attente de la délivrance. Dieu cependant nous porte tout le temps. La montagne nous transforme, nous approfondit, nous enrichit — et nous divinise. Elle nous conduit à la liberté, à la paix, à la joie et à l'amour intérieurs. Plus nous acceptons l'austérité du sommet de la montagne, plus nous découvrons les abîmes de la miséricorde divine. C'est l'heure où, dans notre cheminement spirituel, nous avons grandement besoin de foi. C'est aussi l'heure où nous avons besoin du soutien et de l'encouragement des autres qui font le même pèlerinage. Nous avons besoin de savoir que nous ne sommes pas seuls.

Au bout du compte, je me retrouve tout de même perdu sur la hauteur de Hart Crag. J'ai le sentiment de tourner en rond, de repasser au même endroit. Je ne devine plus le tracé imprécis du sentier. Non seulement ai-je perdu mon chemin, mais depuis deux heures il me semble qu'aucun de mes frères humains n'est resté sur la hauteur. C'est épouvantable. Il n'y a que le brouillard, la pluie, les nuages et le hurlement incessant du vent. Je dois maintenant reconnaître que j'ignore absolument le chemin jusqu'à la maison et la manière de redescendre de la montagne. Je m'imagine piégé ici toute la nuit et je redoute les périls du vent, de la pluie et du froid grandissant. Un affreux sentiment de solitude et d'impuissance m'envahit. Et la nuit tombe peu à peu. Pourtant je prie avec ferveur et sans arrêt le Seigneur de me délivrer.

Le retour à la maison

Puis soudain, pour une raison inexplicable, je bifurque à quarante-cinq degrés sur ma gauche et quitte le vague sentier que je suivais; je me dirige droit vers un versant de la montagne enveloppée dans le brouillard et le nuage. Et alors, à ma stupéfaction et à mon soulagement les plus complets, j'entrevois la lumière du soleil, en bas dans la vallée, et j'aperçois ensuite le *seul* et *unique* sentier qui, sur toute la montagne, mène à mon point de départ et jusque chez moi. Stupeur et pure allégresse. Le Seigneur m'a secouru! Une demi-heure de descente sous les rayons du soleil et me voilà finalement assis, en train de boire et de manger, après six heures de rude escalade. Encore deux heures et je pourrai enfin prendre à la maison un bain chaud et du repos.

En rétrospective

Quelle leçon tirer de cette expérience? La lettre de saint Paul aux Corinthiens vient à l'esprit : « Ma grâce te suffit; ma puissance donne toute sa mesure dans la faiblesse » (*2 Co* 12,9). Le sommet de la montagne semble un lieu d'obscurité et d'aridité spirituelles où la seule solution est de se laisser guider par la foi pure. On y apprend de fait qu'une seule lumière guide les pas du montagnard spirituel : la flamme qui brûle dans le cœur de chacun, la flamme de la foi. Le sommet de la montagne? Une expérience transcendante qui emporte l'adhésion. L'adhésion est la voie de la montagne. Il nous faut continuer à emprunter le chemin de nos périodes de méditation quotidiennes. Et l'adhésion marque par définition la mort du moi. Adhérer, c'est trouver sa vie en la perdant. Le sommet de la montagne nous force à nous dépasser, à nous transcender. C'est sur le sommet de la montagne que nous allons pour trouver le visage de Dieu. « Je lève les yeux vers les montagnes » (*Ps* 121,1).

Dans l'obscurité profonde et l'aridité spirituelle du sommet de la montagne, le Dieu de lumière et d'amour nous soutient et nous porte par sa grâce, il reste avec nous et nous guide sur son *propre* chemin. Dans le cheminement spirituel nous découvrons peu à peu la présence prévenante de Dieu, même dans son apparente absence. L'expérience du sommet de la montagne est l'amorce d'une profonde croissance spirituelle et personnelle. Elle ne marque pas la fin du voyage puisqu'elle nous guide sur le chemin du retour. Quand il ne nous est plus possible de compter sur nos capacités ni de faire fond sur elles pour trouver un sens à l'expérience de la montagne, nous apprenons à nous en remettre aux soins constants de Dieu et à sa gouverne. Au moment où, sur la montagne, nous nous sentons des plus vides et délaissés, nous découvrons que Dieu nous guidait tout le temps.

> Venez, montons à la montagne
>   du Seigneur [...].
> Il nous montrera ses chemins
> et nous marcherons sur ses routes.
> (*Es* 2,3-4)

Chapitre 19

Le rôle du groupe
de méditation chrétienne

Au contact des autres, nous nous éveillons à la vérité plus profonde de notre être, vérité que nous sommes destinés à voir, et nous apprenons ainsi à voyager au-delà de nous-mêmes. Voilà pourquoi méditer régulièrement avec le même groupe ou la même communauté, sur une base quotidienne ou hebdomadaire, est une telle source de saines provisions pour notre pèlerinage. Impossible d'entretenir l'illusion d'un pèlerinage en solitaire quand on est présent aux autres. Et cependant, leur présence même, spirituelle et physique, nous rappelle à une adhésion personnelle plus profonde à l'immobilité, au silence et à la fidélité.

Analogiquement, le groupe ou la communauté signale la fin du faux héroïsme et du triomphalisme. Le contact des faiblesses et limites ordinaires d'autrui jette sur notre réponse et notre fidélité un éclairage nécessaire à l'équilibre et à l'harmonie dans notre existence. En présence des autres, nous nous connaissons…

Je suis chaque jour davantage étonné par l'éventail et la diversité des gens qui entendent réellement le message des enseignements sur la méditation, qui l'entendent monter d'une paix profonde et peut-être insoupçonnée au-dedans d'eux-mêmes. Et m'inspire encore plus le fait que tant d'entre eux restent loyaux à la discipline, à la fidélité qui donne réellement sens à l'écoute. Ce sont des gens de tout âge, de toute appartenance intellectuelle, sociale et religieuse. Tous se sont découvert un centre commun : Christ qui vit dans leur cœur et dans le cœur de toute la création.

(John Main, *The Present Christ*)

La réunion de groupe hebdomadaire

L a remarquable floraison de petits groupes de méditation chrétienne, qui se réunissent hebdomadairement dans maints pays du monde, est l'héritage direct de la vie et des enseignements de John Main. Le père John espérait d'ailleurs que ses enseignements seraient partagés de manière organique par de petits groupes d'hommes et de femmes qui se réuniraient régulièrement dans leurs foyers, en paroisse, dans les écoles et sur leurs lieux de travail.

Il avait une profonde compréhension de l'antique tradition des rassemblements chrétiens pour prier. Comme l'a souligné Laurence Freeman, il voyait dans les communautés de foi et dans la liturgie, au cœur même de l'Église primitive, l'origine de l'épanouissement moderne de la contemplation. Les premiers chrétiens se réunissaient aussi en petits groupes dans les maisons des uns et des autres. Ces rassemblements de prière ont donné naissance à la « koinonia » — la communion et l'interaction sociales — qui fut la marque distinctive et la force de l'Église primitive.

John Main comprenait nettement la nécessité d'une communauté de foi qui affermirait l'adhésion de chacun à la discipline spirituelle de la méditation tout en rendant les enseignements accessibles aux nouveaux venus. Notre expérience comme humain nous apprend que la rencontre de nos semblables, dans le cadre d'un pèlerinage commun, peut nous fournir le soutien dont nous avons besoin pour continuer la route. L'expérience démontre aussi que, lorsque se crée un groupe dans un nouvelle aire géographique, des gens qui n'avaient jusque-là jamais médité se joignent au groupe. Les *nouveaux* groupes initient de *nouvelles* personnes à la méditation.

Elles ne manquent pas les bonnes raisons pour lesquelles nous devrions nous réunir en groupe, une fois la semaine, pour méditer. La réunion de groupe crée un lien spirituel entre les participants et un intérêt mutuel entre ceux qui ont entrepris le même pèlerinage. Comme on l'a déjà indiqué, le groupe de méditation est réellement une communauté de foi très semblable à la communauté des premiers chrétiens, du temps de saint Paul. Commentant la méditation en groupe dans *The Inner Eye of Love*, le jésuite William Johnston écrit :

> Nous pouvons, par exemple, nous asseoir ensemble pour une méditation silencieuse et sans mots. Dans un pareil contexte, on éprouve non seulement le silence qui se fait dans son cœur, mais le silence de tout le groupe. Parfois, le silence est presque palpable et peut unir les gens plus intensément que tous les mots.

Le partage du silence est le cœur même de la réunion du groupe de méditation. C'est la principale raison pour laquelle des gens autour du monde forment spontanément de petits groupes et méditent ensemble chaque semaine. La méditation en groupe puise sa force et son efficacité dans ces mots de Jésus : « Car, là où deux ou trois se trouvent réunis en mon nom, je suis au milieu d'eux » (*Mt* 18,20). Telle est la raison première de se rassembler une fois la semaine. Comme si les méditants saisissaient d'instinct qu'il s'agit là d'un cheminement difficilement réalisable en solitaire, un cheminement tellement plus aisé si on s'y adonne avec d'autres. Personne d'autre, il est vrai, ne peut méditer pour nous et nous méditons chaque jour dans la solitude, mais nous nous rendons également compte que le soutien des autres nous est nécessaire pour persévérer dans notre cheminement.

Le cadre d'un groupe permet aux commençants d'apprendre « comment » méditer. Le groupe peut intégrer n'importe quand des nouveaux venus. En outre, la réunion de groupe hebdomadaire dispense soutien et encouragement à ceux qui pourraient avoir perdu courage ou éprouver « en chemin » des difficultés. Nous avons tous besoin, de temps en temps, de l'encouragement qu'offre le spectacle de la fidélité et de l'adhésion des autres à la discipline.

Nous avons aussi besoin d'assimiler plus profondément les enseignements, ce à quoi nous nous employons en écoutant l'enregistrement d'une causerie de John Main pendant la réunion hebdomadaire. On peut maintenant se procurer environ deux cents causeries du père John sur divers aspects de la méditation. Ces causeries dispensent des conseils et renforcent la motivation; de la sorte, elles nous aident à persévérer dans notre démarche. Elles nous administrent chaque semaine un électrochoc spirituel, une portion du carburant dont nous avons besoin pour le voyage.

Souvent, la période de questions et réponses à la fin de la réunion aide incommensurablement à clarifier des situations, non seulement pour qui pose la question, mais aussi pour les autres membres du groupe.

Les groupes se réunissent en des lieux divers et à des heures variées, aussi bien de jour qu'en soirée. On dénombre aujourd'hui dans trente-cinq pays plus de mille groupes qui se réunissent dans des maisons, appartements, écoles, églises, presbytères, institutions religieuses, centres de méditation chrétienne, chapelles, universités, prisons, édifices gouvernementaux, magasins, résidences pour personnes âgées et usines. On peut obtenir, dans divers pays, la liste des groupes et leurs heures de réunion auprès de responsables de groupes de méditation chrétienne[5].

Fonder un groupe

Avant de fonder un nouveau groupe, on devrait d'abord s'assurer de son adhésion personnelle à la discipline quotidienne de la méditation. Dans la pratique, cela veut dire s'adonner pendant environ six mois à la méditation quotidienne avant de fonder un groupe.

Pour venir en aide aux aspirants responsables de groupe, il existe une brochure très utile, intitulée *The*

---

[5]   Un répertoire international des groupes est disponible à l'adresse suivante : The International Centre, The World Community for Christian Meditation, 23 Kensington Sq., Londres, Angleterre W8 5HN.

Christian Meditation Group. How to Start a Group, How to Lead a Group (*Commencer et animer un groupe*, Méditation chrétienne du Québec, 1996). Y sont abordés divers sujets : les lieux où se réunissent les groupes, l'organisation d'une réunion de groupe, la manière de faire connaître le groupe, des exemples de communiqués en paroisse et une variété d'autres informations relatives à la fondation d'un groupe. On peut obtenir un exemplaire de cette brochure en s'adressant à Medio Media, le réseau de distribution de livres et d'enregistrements de la Communauté mondiale de méditation chrétienne, ou à l'un de ses représentants dans plusieurs pays.

La brochure traite aussi de cette réflexion que se font parfois les gens : « Je ne pourrais jamais fonder un groupe parce que je serais incapable de prononcer une causerie; d'ailleurs, comment me débrouillerais-je si on soulevait des questions auxquelles je ne saurais pas répondre? » Pour transmettre les enseignements, il n'est pas nécessaire de faire montre d'éloquence. On n'attend pas du responsable qu'il soit un gourou ou un expert en tous les enseignements. « Le responsable, dit-on en fait à la blague dans des groupes de méditants, est celui qui enfonce le bouton de " mise en marche " du magnétophone ». Dans bien des groupes, les membres assument à tour de rôle, sur une base mensuelle, la fonction de responsable.

Les enregistrements de John Main sont d'un secours précieux pour les responsables de groupe dans le monde entier. Ils dispensent semaine après semaine un enseignement suivi qui s'approfondit. Ils amènent graduellement chaque personne qui les écoute à trouver sa voie personnelle et sa manière bien à elle de transmettre les enseignements. Il arrive souvent que d'autres membres du groupe répondent à l'une ou l'autre des questions posées à la fin de la réunion, preuve que l'Esprit nous instruit dans les autres, et les uns par les autres.

La peur de l'échec, dit Laurence Freeman, peut nous retenir de fonder un groupe de la même façon qu'elle peut nous interdire de faire bien des choses... même de méditer! La peur de l'échec, voire l'impression d'échec, est une pensée narcissique; c'est un signe évident que nous cherchons encore à commander aux événements et aux gens. Mais les groupes de méditation, s'ils sont des écoles de foi, ne se laissent pas commander. L'Esprit les guide. La méditation en soi nous affranchit du dualisme et de l'échec, elle nous rend libres d'oser bien des choses qui nous paraissaient jadis impossibles, y compris animer un groupe de méditation.

Small is Beautiful

John Main était un admirateur de E. F. Schumacher (1911-1977), l'auteur du best-seller mondial *Small is Beautiful*. Schumacher y expose à grands traits sa philosophie sur les avantages du « petit » par opposition à l'impersonnalité du « grand », et cela dans toutes les sphères de la vie contemporaine.

À la lumière des principes de Schumacher, John Main perçut les avantages de petits groupes de méditants qui se réuniraient hebdomadairement et deviendraient les uns pour les autres, dans leur pèlerinage spirituel, une incitation et une expression *personnalisées*. Comme Schumacher, il n'appréciait pas la structure hiérarchiquement organisée selon le modèle de la pyramide inversée. La structure pyramidale inversée est féodale et foncièrement masculine, alors que le groupe ouvert est plus équilibré, enrichissant et solidaire.

Peut-être William James (1842-1910), qui a écrit *Les formes multiples de l'expérience religieuse. Essai de psychologie descriptive*, a-t-il le mieux résumé ce concept du « petit » :

> Finis pour moi les nobles causes
> les grandes entreprises, les nobles
>   institutions,
> le grand succès, je prends parti pour ces
> naines, invisibles, moléculaires et
>   morales
> forces qui agissent d'individu
> à individu, qui s'insinuent
> dans les failles du monde comme
> autant de radicules, comme
> des suintements d'eau, capillaires
> qui, si leur en est laissé le temps,
> fissurent les plus robustes monuments
> de la morgue humaine.

Le petit groupe de méditation est une cellule spirituelle; par conséquent, on ne saurait l'évaluer à partir de critères matérialistes. Un groupe de vingt personnes n'est pas nécessairement meilleur ni mieux armé qu'un groupe de trois personnes. Sous la règle du « petit », le nombre est quantité négligeable.

Chapitre 20

Quelques autres aspects du cheminement

Me réunir et méditer avec tant de gens qui prennent part à cet extraordinaire et merveilleux pèlerinage, dans le cours accoutumé de leur simple vie quotidienne, me fait voir plus clairement que jamais la vraie nature de ce voyage que nous faisons ensemble. Nous y reconnaissons un cheminement de foi, une faculté toujours grandissante d'aimer et d'être aimés; et de la sorte, aussi, une vision toujours grandissante de la réalité.

Nous y reconnaissons aussi une voie qui demande de plus en plus de foi. Plus on approche de leur sommet, plus les montagnes se font abruptes et plus le chemin rétrécit. Mais ainsi l'horizon devient aussi plus vaste, plus inspirant, plus imposant et nous redonne des forces pour l'adhésion plus entière que requièrent de nous les dernières étapes de l'ascension...

La méditation, comme instrument d'une vie centrée avec fidélité et discipline sur la prière, est notre voie d'accès à l'authentique expérience de l'esprit, de l'Esprit. Comme quiconque emprunte cette voie en vient vite à s'en rendre compte, les exigences augmentent à chaque pas du pèlerinage. À mesure que s'accroît notre capacité d'accueillir cette révélation, s'accroît de même l'impulsion naturelle que nous éprouvons à rendre notre réponse et notre disponibilité plus généreuses, plus désintéressées.

Chose étrange et merveilleuse, cette exigence ne se compare à aucune autre qui nous est posée. La plupart des exigences semblent restreindre notre liberté, mais celle-ci n'est rien moins qu'une invitation à entrer dans la pleine liberté d'esprit — cette liberté que nous goûtons quand nous tournons le dos à notre moi. Ce qui apparaît comme une exigence de reddition totale est en fait l'occasion d'une réalisation incommensurable de nos capacités. Mais pour le comprendre, impossible de reculer devant la nature radicale de cette exigence et, par conséquent, de notre réponse.

(John Main, *The Present Christ*)

Notre image de Dieu

Selon toute probabilité, notre image de Dieu infléchit notre pratique de la méditation. Appréhender le « Christ intérieur », le Dieu qui vit au centre de leur être, est susceptible de donner du fil à retordre aux méditants néophytes.

Une récente livraison du *New Yorker* publiait une caricature qu'on peut décrire ainsi : une porte close et très ouvragée d'un bureau, au ciel, sur laquelle est inscrit le mot « Dieu »; un secrétaire ailé est assis devant la porte du bureau où se présente un homme soucieux, une liasse de papiers à la main, qui demande au secrétaire : « Ce matin, est-il le Dieu de l'Ancien Testament ou du Nouveau? »

Malheureusement, plusieurs d'entre nous ont été conditionnés, dès leur tendre enfance, à se forger une image pervertie du Dieu de l'Ancien Testament. Nous nous représentons Dieu comme un juge impitoyable de notre fragilité ou comme un être éloigné de nous. C'est le Dieu de la Genèse, le Dieu de la Chapelle Sixtine qui trône quelque part là-haut et crée le monde. Le problème avec cette image de Dieu, c'est qu'il nous apparaît très lointain et distant. Cette image présente un Dieu qui nous est extérieur. L'image néotestamentaire de Dieu, dans l'Évangile de Jean, nous révèle un Dieu à l'extrême opposé, qui est la source la plus profonde en nous, une présence intime plus proche de nous et plus profonde en nous que notre moi conscient.

Pour bien des gens, observe Thomas Merton, Dieu est une autorité arbitraire aux allures de sphinx qui fond sur nous avec une implacable hostilité; ce qui nous induit à perdre la foi en un Dieu, de ce fait, impossible à aimer.

Pour certaines personnes, Dieu est un Dieu de rétribution, un gendarme, un père Fouettard. Mais ce n'est pas l'image néotestamentaire de Dieu. Au contraire. Jésus nous propose la véritable image de son Père dans la parabole de l'enfant prodigue. Le fils prodigue quitte son père et se livre au péché dans la grande cité. Quand il rentre au foyer, son père ne le critique pas, ne le juge pas, ne lui en veut même pas. En fait, c'est exactement l'opposé. Le père ouvre les bras à son fils, décrète un jour de fête et tue le veau gras pour un grand banquet. Telle est l'image néotestamentaire de Dieu. Dieu nous aime, nous ouvre les bras, est impatient de nous accueillir une nouvelle fois après que nous avons erré. Ce Dieu dit : « Voici, je me tiens à la porte et je frappe. Si quelqu'un entend ma voix et ouvre la porte, j'entrerai chez lui et je prendrai la cène avec lui et lui avec moi » (*Ap* 3,20).

L'Évangile de saint Jean ne parle que d'un Dieu qui vit au-dedans de nous. Dans la méditation, nous nous occupons du Jésus intérieur, celui-là qui habite notre cœur. Du Jésus qui vit au-dedans de nous et nous dit : « En ce jour-là, vous connaîtrez que je suis en mon Père et que vous êtes en moi et moi en vous » (*Jn* 14,20). La méditation est cheminement intérieur pour trouver Dieu en soi. En réalité, nous n'avons pas à nous mettre en quête de la présence de Dieu. Il est déjà au-dedans de nous. Il nous a déjà trouvés. Il ne nous reste qu'à éprouver et saisir cette réalité par la discipline spirituelle de nos périodes de méditation quotidiennes.

Dans l'Évangile de saint Jean, le Christ intérieur dit : « Demeurez en moi comme je demeure en vous » (*Jn* 15,4); « Si quelqu'un m'aime, il observera ma parole, et mon Père l'aimera; nous viendrons à lui et nous établirons chez lui notre demeure » (*Jn* 14,23); « Je suis la vigne, vous êtes les sarments; celui qui demeure en moi et en qui je demeure, celui-là portera du fruit en abondance » (*Jn* 15,5). Et l'apôtre bien-aimé écrit ailleurs: « Dieu est amour : qui demeure dans l'amour demeure en Dieu et Dieu demeure en lui » (*1 Jn* 4,16).

Paul reconnaît admirablement cette *inhabitation* dans son épître aux Éphésiens :

Qu'il daigne, selon la richesse de sa gloire, vous armer de puissance, par son Esprit, pour que se fortifie en vous l'homme intérieur, qu'il fasse habiter le Christ en vos cœurs par la foi; enracinés et fondés dans l'amour, vous aurez ainsi la force de comprendre, avec tous les saints, ce qu'est la largeur, la longueur, la hauteur, la profondeur... et de connaître l'amour du Christ qui surpasse toute connaissance, afin que vous soyez comblés jusqu'à recevoir toute la plénitude de Dieu. (*Ep* 3,16-19)

Les écrits de saint Jean et de saint Paul nous révèlent le Christ ressuscité du Nouveau Testament qui vit *au-dedans* de nous.

Le partage des enseignements

Si nous sommes fidèles à la récitation quotidienne de notre mantra, disait John Main, nous ne pouvons que partager avec d'autres le don de la méditation. Les dons sont faits pour être donnés. « Vous avez reçu gratuitement, dit Jésus, donnez gratuitement » (*Mt* 10,8).

Comment partager ce don avec les autres? Là est toute la question. Pour plusieurs d'entre nous, cela consistera simplement à être disponibles pour répondre aux questions de la famille, des amis et des collègues de travail sur la méditation chrétienne. L'important est de ne pas se montrer trop fougueux, de se contenter d'être factuels et objectifs en matière d'enseignements et de pratique.

Peut-être s'agira-t-il d'employer les talents que nous avons pour faire connaître l'existence de notre groupe particulier de méditation et son ouverture à de nouveaux membres. Pour certains d'entre nous, cela pourra consister simplement à transmettre cette information de bouche à oreille à des voisins, paroissiens et connaissances; pour d'autres, à passer un simple avis dans le bulletin paroissial, à demander au curé ou au ministre de la paroisse d'en faire l'annonce en chaire. Ou peut-être encore à taper à la machine un simple communiqué sur un groupe de méditation et à l'apposer sur le tableau d'affichage, au travail ou dans un commerce. Certaines personnes auront peut-être le talent d'écrire un article pour l'hebdomadaire religieux ou laïque de leur communauté. D'autres se sentiront assez d'assurance pour s'offrir spontanément à donner une causerie sur la méditation devant des organisations paroissiales ou divers groupes. « À chacun selon ses talents et ses capacités », telle est la règle.

Des gens désapprouvent parfois ce modèle d'intervention sur la place publique. Peut-être espèrent-ils qu'une voix retentisse du ciel pour annoncer la formation d'un nouveau groupe de méditation. Mais Dieu ne procède pas habituellement de cette manière. La créativité et le concours des humains sont ses modes d'opération usuels. En d'autres mots, il se sert des talents qu'il nous a donnés pour accomplir son œuvre.

Notre message, cela va de soi, doit être *honnête*, *simple*, *factuel*, de *bon goût* et *sans vaines promesses*. Cela dit, pourquoi aurions-nous scrupule à utiliser un outil de communication qui rejoint le public contemporain? Si saint Paul vivait de nos jours, il n'écrirait pas avec une plume d'oie; il se servirait probablement de l'ordinateur et de messageries électroniques. N'ayons pas peur d'utiliser les instruments de communication à notre disposition.

S'ajoute enfin, pour plusieurs d'entre nous, la tâche importante de fonder effectivement un groupe de méditation dans sa propre maison ou dans une institution. C'est en créant des groupes de méditation dans de nouveaux quartiers d'une ville, la banlieue ou une petite municipalité, que nous pouvons réellement partager avec d'autres le don de la méditation. L'expérience le démontre : lorsque se fonde un nouveau groupe de méditation, des gens qui n'avaient jusque-là jamais médité se joignent à ce groupe.

Quitter un groupe établi pour en fonder un autre demande du *courage*. On s'habitue à des façons de faire, on développe des amitiés au sein du groupe initial. Par conséquent, on déteste quitter un groupe établi. Mais comment partager le don de la méditation sans que certains d'entre nous se jettent à l'eau et fondent de nouveaux groupes?

Répétons-le : nous avons reçu un don. Mais les dons sont faits pour qu'on les partage... pour qu'on les donne. Nous sommes tous des pèlerins en route. En tant que méditants, le seul don de Dieu que nous puissions partager avec les autres est celui de transmettre les enseignements de la méditation chrétienne, d'une manière ou d'une autre.

La lecture méditée de l'Écriture

John Main jugeait que l'enseignement du silence et de l'immobilité dans la prière s'enracinait solidement à la fois dans l'Ancien Testament et le Nouveau. (Voir le chapitre 6.) Il croyait aussi fermement que la lecture méditée de l'Écriture est la préparation idéale au silence de la méditation.

Dans la tradition monastique, la *lectio divina* ou lecture recueillie — écoute et rumination de l'Écriture — était perçue comme partie intégrante du développement spirituel du moine. La *lectio divina* avait pour but de conduire le moine de la parole écrite au *repos* dans le Seigneur. En d'autres mots, la tradition monastique de la *lection divina* était censée être la porte donnant au moine accès à l'expérience contemplative. Dans une certaine mesure, cette tradition s'est perdue dans les communautés monastiques. Pour cette raison, estimait John Main, un retour à la lecture méditée de l'Écriture est un complément nécessaire au mantra en vue d'amener le priant au silence de la méditation.

Le rôle du maître

Traditionnellement, un saint et docte maître initie à la méditation telle qu'on l'enseigne dans les diverses religions. Dès les premiers temps du christianisme, les jeunes moines errants prirent l'habitude de se mettre en quête d'un saint père (*abba*) qui leur dévoilerait « la prière du cœur ». Jean Cassien et Germain, son compagnon de vie monastique, cherchèrent et trouvèrent le saint abba Isaac et lui demandèrent de leur enseigner à prier.

Pour le chrétien, le Jésus ressuscité qui l'habite est, bien entendu, le Maître vivant : « Il était un jour quelque part en prière. Quand il eut fini, un de ses disciples lui dit : " Seigneur, apprends-nous à prier, comme Jean l'a appris à ses disciples ". » (*Lc* 11,1). La fréquentation d'un maître peut être la rencontre capitale de votre vie spirituelle. Bien des méditants ont trouvé en John Main leur maître après n'avoir entendu que quelques mots de l'une de ses conférences ou lu un bref passage d'un de ses livres. La découverte d'un maître peut marquer le point tournant et décisif dans la vie d'un être. John Main est l'exemple type du vrai maître, véhicule transparent à travers lequel se perçoit l'Esprit du Christ.

On a besoin d'un maître pour acquérir quelque habileté ou discipline. Un maître ne montre pas seulement la voie, il prodigue discernement et encouragement, il aide le disciple à éviter les écueils. Dans le cas de la méditation, c'est le maître qui traditionnellement initie à la discipline du mantra.

Ceux qui s'adonnent à la méditation chrétienne comptent d'abord, avec l'aide de John Main, sur l'Esprit comme Maître. Quiconque éprouve des problèmes sur le chemin de la méditation peut trouver de l'aide auprès d'amis spirituels qui, dans le monde entier, partagent les enseignements de John Main sur cette tradition. Quelle que soit la difficulté, on peut aussi obtenir de l'assistance, dans le cadre des réunions hebdomadaires de son groupe de méditation, auprès de coparticipants qui ont souvent connu les mêmes expériences.

Direction spirituelle et âme sœur

On demande souvent si un directeur/guide spirituel est nécessaire sur le chemin de la méditation chrétienne. Une distinction s'impose ici entre, d'une part, un maître de prière comme John Main et, d'autre part, ceux qui proposent, sur une base individuelle, leurs services de direction et de discernement en matière de cheminement spirituel.

Pour ce qui concerne l'enseignement de la méditation chrétienne, nous disposons de ressources incomparables dans les deux cents causeries de John Main enregistrées sur cassettes et dans ses nombreux livres. En outre, les méditants trouvent direction et nourriture, pour la pratique de la méditation, dans les retraites, conférences, enregistrements sonores et audiovisuels, bulletins d'information et réunions hebdomadaires de groupes de Méditation chrétienne. Le vrai Maître, cela va de soi, est l'Esprit.

L'art et la pratique de la direction spirituelle débordent cependant les enseignements de la méditation chrétienne. C'est une très ancienne pratique en christianisme. Dans les sentences et apophtegmes des Pères et Mères du désert du IVe siècle qui nous sont parvenus, nous voyons à l'œuvre de saints et sages moines qui prodiguent constamment direction et conseils spirituels à de plus jeunes moines. Au Moyen Âge, saint Bernard de Clairvaux lui-même disait : « Qui se gouverne lui-même est un sot. »

Il faut néanmoins signaler que de considérables changements sont intervenus entre l'époque des Pères du désert ou celle de saint Bernard de Clairvaux et le XXIe siècle. Nous disposons, par exemple, d'une large gamme de livres : des ouvrages classiques, des études consacrées à l'interprétation psychologique du cheminement spirituel aussi bien que des traités sur la croissance et le développement spirituels. Ceux qu'intéresse spécifiquement la direction spirituelle se reporteront à *The Art of Spiritual Guidance* de Carolyn Gratton, l'un des ouvrages contemporains les plus complets sur la question.

Carolyn Gratton note qu'un saint et sage guide spirituel peut aider les gens à discerner la volonté de Dieu quand vient le temps de prendre une décision, ou les assister dans les périodes de transition de leur développement spirituel. Le guide spirituel est aussi capable d'aider un disciple à équilibrer activités extérieures et activités spirituelles. En ces temps où l'Église valorise de plus en plus la liberté humaine, Gratton soutient cependant que peu de guides contemporains, même parmi les plus traditionalistes, conseillent à qui requiert leur direction de « s'abandonner » ou d'« abdiquer sa volonté propre », sauf pour obéir au Saint-Esprit.

Désillusionnement et problèmes psychologiques peuvent survenir pendant le cheminement spirituel. Nous seront parfois nécessaires la prudence et les attentions d'un saint guide spirituel, capable de reconnaître les motions de l'Esprit dans notre vie spirituelle. Il est important pour les méditants que ce guide spirituel comprenne l'enseignement et la pratique de la méditation chrétienne, qu'il en ait l'expérience. Saint Jean de la Croix déplorait au XVIe siècle l'incompétence de maints directeurs spirituels qui, au lieu d'aider les gens sur le chemin de la contemplation, y dressaient des obstacles (*La montée du Carmel,* dans *Œuvres spirituelles*, p. 20). C'est un truisme de dire que seul un contemplatif peut proposer sa direction en matière de contemplation. Sainte Thérèse d'Avila jugea elle aussi frustrant de traiter, sur une période de vingt ans, avec de très nombreux guides spirituels incompétents. « À cause d'eux, écrivait-elle en se remémorant cette période, j'ai tellement souffert que je me demande aujourd'hui comment j'arriverais à le supporter. »

Ce dont le méditant a besoin, c'est de soutien et d'encouragement pour persévérer dans son cheminement de prière. Un guide capable d'offrir amitié et soutien peut être d'un grand secours si nous traversons une période de difficulté, d'aridité dans la méditation, lorsque Dieu semble absent de notre pèlerinage.

Nous ne devons évidemment jamais oublier que le grand Maître et guide spirituel vit au-dedans de notre cœur. Notre première priorité est d'écouter l'Esprit. Cela établi, que chercher dans un guide humain et où trouver une telle personne? Nous devons encore une fois garder à l'esprit qu'un guide inexpérimenté, ou une personne à qui ne sont pas familières la tradition contemplative et la pratique de la méditation chrétienne, pourrait contrecarrer la croissance spirituelle d'un méditant.

Il semble qu'il n'y ait pas pléthore de saints et chevronnés guides spirituels en matière de contemplation pour les nombreux méditants contemporains engagés dans le pèlerinage spirituel intérieur. On a même dit que « si Dieu voulait que chaque méditant ait un directeur spirituel, ils [les guides spirituels] pendraient aux arbres comme des pommes prêtes à être cueillies ». Malheureusement, la cueillette est plutôt maigre par les temps qui courent! « Où puis-je trouver un bon guide spirituel? » se lamente-t-on universellement.

Peut-être vaudrait-il mieux, ici, changer de terminologie. Dans *Soul Friend*, Kenneth Leech avance que nous aurions à apprendre de la tradition celtique:

> On estimait nécessaire [en Irlande] que chacun se pourvoie d'une âme sœur et l'adage « Qui n'a pas d'âme sœur est un corps sans tête » (attribué à sainte Brigide et à Comgall) est devenu un proverbe celtique. [...] L'âme sœur était essentiellement un conseiller, un guide, et on n'accolait pas à la fonction de caractère spécifiquement sacramentel. Souvent, l'âme sœur était un ou une laïque.

La direction spirituelle, observe Leech, ne se réduit pas à des réponses aux problèmes et à des panacées. L'âme sœur est, dit-il, une personne humble et douce qui reconnaît notre singularité, prête amoureusement l'oreille aux motions de l'Esprit au-dedans de nous. Ce qu'on attend d'une âme sœur, c'est une sympathie, une communion d'esprit autant que de cœur. Les âmes sœurs se connaissent l'une l'autre à un niveau de conscience plus profond.

Peut-être avons-nous cherché des guides spirituels là où il ne fallait pas. Comme on l'a déjà souligné, notre meilleur guide spirituel réside dans notre cœur. Cependant, si nous éprouvons le besoin d'un complément de direction dans notre cheminement spirituel, l'âme sœur est peut-être la réponse. Cette âme sœur, il se peut que vous la connaissiez déjà. Ce pourrait être un membre de votre groupe de médi-tation: une personne ouverte de cœur, une personne qui comprend le besoin de silence et d'immobilité dans votre vie. Peut-être cette personne marche-t-elle avec vous sur la route d'Emmaüs et vous embrase-t-elle le cœur. Cette âme sœur pourrait être un être humain semblable à vous, mais pourrait être aussi l'Esprit que vous avez déjà trouvé dans votre cœur par la pratique de la méditation.

Fracasser le miroir de l'ego : oublier le moi

Méditer consiste essentiellement, dans le langage de tous les jours, à oublier l'ego. Nous ne cherchons pas à voir les événements avec les yeux de l'ego. La vision de l'ego est limitée par son égocentrisme. L'œil avec lequel nous voyons sans limites est un œil incapable de se voir. Dès que nous cessons de chercher à voir et à posséder, nous voyons tout, et toutes choses sont nôtres — tel est le paradoxe de la méditation.

(John Main, *Word Made Flesh*)

Les difficultés, en ce qui a trait à l'ego, commencent avec la terminologie qui diffère selon l'école de psychologie à laquelle on appartient. Pour simplifier les définitions, disons toutefois que le mot « ego » est emprunté au latin et signifie « je ». L'ego est ce qui nous confère notre unicité et notre identité en tant qu'individu. Notre vrai moi est fait à l'image de Dieu en qui chaque être humain est créé. L'ego est l'image réfléchie du vrai moi.

En chacun de nous, cette image réfléchie peut malheureusement être confondue avec la réalité, devenir un faux moi qui se développe à *notre* ressemblance plutôt qu'à la ressemblance de Dieu. De là vient le mot « égocentrique ». Plusieurs maîtres spirituels, y compris John Main, établissent un parallèle entre le faux moi et le mot « ego », ou le mot « égoïsme ». Nous devons cependant toujours nous rappeler que notre ego, dans les phases initiales de notre existence, nous confère notre unicité et notre identité. Il n'est pas en soi mauvais — mais il peut devenir un foyer d'illusion, d'autopromotion, d'autoglorification.

Le faux moi engendre plusieurs masques, pour dissimuler le vrai moi. Notre faux moi veut toujours occuper l'avant-scène. Le faux moi veut être le premier servi et pense d'abord à lui. Les autres viennent en second. Notre faux moi croit que le monde gravite autour de *lui*. Il n'en a que pour le contrôle, le pouvoir, l'adulation. Le faux moi veut garder le contrôle en toute circonstance et manipuler les autres.

John Main traite de notre faux moi et de la nécessité de « fracasser le miroir » de notre ego. Lorsque nous sommes unis à Dieu « comme [à] notre source d'énergie suprême », dit-il, nous traversons le miroir de l'« autoanalyse maladive de l'égoïsme ». Selon John Main, le « péché » prend racine dans l'autoanalyse — miroir pour ainsi dire entre Dieu et notre moi, miroir qui reflète notre seule image au lieu de refléter l'image divine où est pourtant notre véritable identité. Il faut fracasser ce miroir, insiste le père John, et la méditation est le moyen de le fracasser. Cela se fait sans violence : c'est l'œuvre de l'amour. Il ne fait pas l'ombre d'un doute que, sur le chemin spirituel, il faille se démener pour se libérer de l'égoïsme et de l'entêtement.

À propos de l'ego, le Bouddha dit : «Chez ceux que domine l'ego, les souffrances se répandent comme l'herbe des champs. » L'inclination de l'ego à l'autoglorification l'éloigne inévitablement de Dieu.

William Law (1686-1761), mystique de l'Église d'Angleterre, s'est ainsi exprimé dans *Christian Regeneration* : « En bref, voici l'entière vérité. Tout péché, toute mort, toute damnation, tout enfer ne sont rien d'autre que le royaume du moi, ou des diverses opérations de l'amour de soi, de l'estime de soi, de la recherche de soi qui séparent l'âme de Dieu. »

Dans *The Man and His Teachings*, Vandana Mataji prête ces mots à Swami Abhishiktananda (Henri Le Saux) :

La démarche fondamentale de salut, ou de conversion, se réalise au niveau du cœur humain, c'est-à-dire au centre le plus intime de l'être. La conversion, la metanoïa de l'Évangile, est abandon de tout égocentrisme, de tout égoïsme : elle est retour intégral à Dieu de tout l'être. En d'autres mots, elle est mise en présence du Sauveur.

Vandana Mataji lui attribue encore les paroles suivantes : « Jésus lui-même a enseigné qu'il faut tout abandonner, tout risquer, pour espérer entrer dans le royaume. L'Évangile est essentiellement une abdication, un déracinement du moi, de l'ego qu'on oublie pour marcher à la suite du Maître. »

Le faux moi existe, mais comme illusion. Il n'a finalement pas de réalité. Tous, nous pouvons choisir de jeter bas le masque, l'illusion de ce faux moi, choisir de réaliser en Dieu notre véritable identité. Le chemin jusqu'à notre vrai moi est le chemin de la méditation parce que, dans le silence profond de notre méditation, nous reconnaissons notre dépendance de Jésus. Dieu détient le secret de mon identité, dit Thomas Merton, et le seul moyen de trouver ma véritable identité est de perdre en lui mon faux moi.

Dans la méditation, notre « égoïsme », ou notre faux moi, se dissout lentement à mesure que le centre d'attention se déplace du moi à Dieu, puis aux autres. Pourquoi cela survient-il? Parce que la récitation du mantra est un acte de pur *altruisme*. Chaque fois que nous récitons le mantra, nous abdiquons, nous oublions nos pensées *personnelles*, nos mots *personnels*, nos soucis *personnels*, nos peurs *personnelles*, nos angoisses *personnelles*. En nous défaisant de ces possessions égoïstes, nous commençons à nous défaire du faux moi. Dans le détachement qu'exige la méditation, le masque — déguisement fallacieux — tombe pour révéler où se dissimule le *je*. Tel un papillon de nuit, notre faux moi est attiré par la flamme où il doit mourir. Il faut s'en débarrasser, dit Thomas Merton, comme le serpent de sa mue.

La méditation insuffle un esprit de pardon. Plusieurs auteurs spirituels font valoir que le pardon est l'une des principales armes pour combattre l'ego. Quand nous pardonnons aux autres les insultes, réelles ou imaginaires, nous entamons le ressentiment affectif de l'ego. Comme le remarque Ken Wilber dans *Grace and Grit*, l'ego a naturellement tendance à ne jamais pardonner, à ne jamais oublier. Le pardon mine l'existence même de l'ego. (Voir « Le besoin de pardonner », plus loin dans ce chapitre.)

Voici en quels termes *Course of Miracles* traite de la question :

> Que pourrais-tu vouloir que le pardon ne soit en mesure de donner? Veux-tu la paix? Le pardon l'offre. Veux-tu le bonheur, la sérénité, la certitude d'une finalité, la sensibilité à la vertu, à la beauté qui transcende le monde? Veux-tu des attentions, la sécurité, la chaleur d'une sûre protection en tout temps? Veux-tu la quiétude que rien ne peut troubler, la douceur que rien ne peut blesser, un bien-être profond, et un repos si parfait que rien ne peut jamais le perturber?
>
> Tout cela et davantage, le pardon te l'offre.
> Le pardon offre tout ce que je veux.
> Aujourd'hui j'accepte cette vérité.
> Aujourd'hui j'accueille les dons de Dieu.

La méditation nous aide à nous dépouiller du faux moi parce qu'elle consiste, de fait, en l'oubli de soi. Comme le dit John Main, elle consiste à écarter de soi les projecteurs; la transcendance de soi, voilà ce qui l'intéresse. Est-ce ce que Jésus avait à l'esprit quand il disait : « Si quelqu'un veut venir à ma suite, qu'il *se* renie *lui-même* et prenne sa croix, et qu'il me suive » (*Mt* 16,24)?

Le poète chinois Li Po l'exprime ainsi :
Nous méditons ensemble, la montagne et moi
Jusqu'à ce que seule reste la montagne.

Connaissez-vous l'histoire de l'artiste qui avait sculpté une superbe statue d'éléphant? Quand on lui demanda comment il avait procédé, il répondit qu'il avait pris un bloc de granit dont il avait simplement retranché au ciseau tout ce qui *n'était pas* l'éléphant. Ainsi opère la méditation. Elle retranche à coups de ciseau le faux moi pour que le vrai moi, à l'image et à la ressemblance de Dieu, puisse apparaître. Dans la méditation, nous sommes graduellement purifiés de ce faux moi et nous découvrons que Dieu est au-dedans de nous, qu'il est le fondement de notre être.

Le cheminement du faux moi au vrai moi n'est pas toujours, bien sûr, un cheminement agréable et facile. La route est cahoteuse. Nous n'aimons pas changer et Dieu, qui est amour, nous transforme. Changer, c'est mourir. Affirmation qui n'est pas sans rappeler un passage de l'Évangile de saint Jean : « En vérité, en vérité, je vous le dis, si le grain de blé qui tombe en terre ne meurt pas, il reste seul; *si au contraire il meurt, il porte du fruit en abondance* » (*Jn* 12,24).

Dans la méditation, quelque chose meurt au-dedans de nous — notre faux moi — mais il naît du neuf. Lorsque nous nous engageons dans cette voie, nous nous accrochons à ce qui nous est familier et nous appréhendons le voyage en terrain peu familier. Voilà pourquoi, selon le père John, la méditation exige du courage à certains moments et, en dernière analyse, est chemin de foi pure.

Sur le chemin de la méditation, notre vrai moi se révèle de plus en plus et l'ombre du faux moi s'évanouit peu à peu. Dans la méditation, le masque du faux moi se détache par squames de notre visage et nous nous découvrons totalement soumis, dépendants de Dieu. Le faux moi, dit Thomas Merton, est un « moi fumeux » qui disparaît comme la fumée aspirée dans une cheminée.

Par la discipline de la méditation quotidienne, notre vrai moi se révèle lentement. Quand le processus est achevé, nous pouvons clamer avec saint Paul : « je vis, mais ce n'est plus moi, c'est Christ qui vit en moi » (*Ga* 2,20). Alors commence sérieusement le cheminement spirituel. Maintenant que nous avons trouvé notre vrai moi, nous pouvons commencer à aimer vraiment. Nous avons trouvé notre véritable identité dans l'amour et notre vrai moi dans le désintéressement.

Ne jamais perdre de vue la mort

Dans *La mort : le voyage intérieur*, dernière conférence qu'il prononça à Montréal quelques mois à peine avant sa mort, John Main observe non seulement que nous mourrons tous, mais qu'il nous faut apprendre à bien mourir.

Laurence Freeman écrit dans sa préface à cette publication posthume :

Tous ceux qui l'ont côtoyé durant ses derniers jours ont perdu toute crainte devant la mort et ont développé un sentiment de respect et de révérence dans sa présence. [...] John Main était un être plein de dynamisme et extrêmement amoureux de la vie. Ses dernières souffrances n'ont jamais réussi à altérer son sens de l'humour et de l'émerveillement devant le mystère de la vie. D'ailleurs, même lorsqu'il était en parfaite santé, John Main était pleinement conscient de la [brièveté de l'existence] et, par conséquent il était toujours prêt à affronter la mort, qu'elle se révèle prochaine ou lointaine. L'optimisme et le réalisme étaient deux traits de sa personnalité qui prenaient racine dans la joie de la découverte de cette réalité de Dieu obtenue dans la méditation. (p. 5)

Selon le père Laurence, l'exemplarité de la vie et de la mort de John Main explique que ses enseignements lui survivent.

Il y a peut-être une autre manière d'aborder la question et c'est de citer quelques observations du père John, dans *La mort : le voyage intérieur*, sur la méditation comme préparation à la mort.

— [...] c'est à bon droit que la tradition appelle la méditation la *première mort*. Il s'agit de la préparation essentielle à la deuxième mort qui constitue notre entrée définitive dans la vie éternelle. (p. 19)

— [...] pour vivre pleinement, nous devons vivre en relation avec les autres. Nous devons vivre notre vie avec amour. Pour apprendre à aimer, nous devons apprendre à mourir à nous-mêmes. (p. 19)

— [...] cette voie constitue une façon de mourir *et* une façon de vivre. Lorsque vous récitez le mantra, vous accomplissez ce qui est la chose la plus difficile à faire pour nous : mourir à son propre égoïsme. Lorsque nous transcendons ainsi notre conscience de soi [*sic*], nous mourons à notre propre égocentrisme. (p. 10)

— La seule façon de se préparer à la mort consiste à mourir jour après jour. Il s'agit tout d'abord d'un voyage spirituel [...]. (p. 15)

— Au cours des années où nous avons enseigné la méditation dans cette tradition, nous avons connu des gens qui avaient commencé à méditer alors qu'ils devaient faire face à la mort et qu'ils voyaient la fin de leur vie approcher. Leur attitude face à la mort s'est transformée quand ils ont commencé à mourir à eux-mêmes jour après jour, se préparant ainsi à la mort corporelle. Observer leur croissance dans la foi et l'espoir tandis qu'ils apprenaient à méditer, même [...] à cette dernière étape de leur vie, a été pour nous une inspiration et une révélation. (p. 17)

— L'amour et la mort nous font découvrir la réalité du renoncement à soi-même. Ce qu'il y a d'étonnant dans ces expériences est de découvrir qu'il est *possible* de renoncer à soi-même. En fait, nous découvrons que la principale raison de notre existence est de renoncer *vraiment* à nous-mêmes. Aussi, c'est exactement ce que notre méditation nous enseigne si bien. Pour renoncer à l'ego, nous devons cesser de penser à nous-mêmes. Nous devons déplacer notre centre vers l'extérieur, au-delà de nous-mêmes, dans l'*Autre*. (p. 14)

— Dans cette optique, la vie nous prépare à la mort, et la mort à la vie. Si nous allons au-devant de notre propre mort avec espoir, cet espoir doit être fondé non seulement sur une théorie ou une croyance mais aussi sur l'expérience. L'expérience doit nous démontrer que *la mort est un événement de la vie*, un élément essentiel de toute vie. Celle-ci constituant d'ailleurs un mystère qui s'élargit perpétuellement et qui transcende l'ego. Il me semble que seule l'expérience de la mort continuelle de l'ego peut nous mener vers cet espoir, vers un contact toujours grandissant avec la puissance de la vie elle-même. Seule notre propre mort à l'égocentrisme peut vraiment nous persuader que la *mort* est un maillon de la chaîne du développement perpétuel, la voie vers la plénitude de vie. (p. 15)

Le besoin de pardonner

Jésus se montre très explicite sur le besoin de réconciliation et de pardon dans notre vie : « Quand donc tu vas présenter ton offrande à l'autel, si là tu te souviens que ton frère a quelque chose contre toi, laisse là ton offrande, devant l'autel, et va d'abord te réconcilier avec ton frère; viens alors présenter ton offrande » (*Mt* 5,23-24). À quoi il ajoute : « Et quand vous êtes debout en prière, si vous avez quelque chose contre quelqu'un, pardonnez » (*Mc* 11,25).

À la lumière de ces paroles de Jésus, il nous serait difficile de faire don de nous-mêmes dans la méditation sans pardonner d'abord aux autres leurs torts ni tenter de nous réconcilier avec ceux que nous avons offensés ou qui nous ont offensés.

Dans la merveilleuse parabole de l'enfant prodigue, Jésus nous montre ce qu'est le vrai pardon. L'enfant prodigue s'empare de son héritage qu'il dilapide en une vie de débauche dans la grande ville, puis rentre au foyer dans la confusion et la honte. Le père (qui est l'image néotestamentaire du Père céleste) pourrait user de représailles, s'emporter, dépouiller son fils de tout privilège, voire le chasser de la maison familiale. Or, il fait exactement le contraire. Dès qu'il le voit venir au loin, le père se précipite dehors pour accueillir son fils, il l'étreint, puis décrète un jour de fête et ordonne qu'on abatte pour un grand banquet le veau soigneusement engraissé par la famille. Parlez-moi d'un pardon!

Nous devons aussi pardonner aux autres dans notre pratique de la méditation, ce qui est pour tous un défi. Encore une fois, les paroles de Jésus ne laissent aucun doute quant au caractère essentiel de cet enseignement : « Alors Pierre s'approcha et lui dit : " Seigneur, quand mon frère commettra une faute à mon égard, combien de fois lui pardonnerai-je? Jusqu'à sept fois? " Jésus lui dit : " Je ne te dis pas jusqu'à sept fois, mais jusqu'à soixante-dix fois sept fois ". » (*Mt* 18, 21-22).

Si nous voulons grandir spirituellement sur le chemin de la méditation, nous n'avons d'autre choix que de pardonner aux autres, de passer l'éponge, de relancer sur de nouvelles bases nos relations avec ceux que nous avons offensés ou qui nous ont offensés.

Humilité et gratitude

Peut alors se poser une autre question : faut-il nous inquiéter d'un risque d'élitisme, en méditation chrétienne, dans le sentiment que nous aurions trouvé la perle de grand prix tandis que les autres la chercheraient encore?

En toutes traditions et pratiques spirituelles, il y a toujours tentation de croire qu'on est arrivé au but, qu'on vaut mieux, qu'on est plus avancé, que la voie choisie est l'unique voie — et bien d'autres variations sur le même thème. En fait, il s'agit d'une tentation insidieuse parce que nous sommes tous, comme le note John Main, des débutants en méditation dans la mesure où nous revenons chaque jour à notre discipline quotidienne. Les méditants bénéficient toutefois généralement de la grâce sanctifiante. La pratique de la méditation est une expérience tellement mortifiante et si souvent ardue qu'il est presque impossible de se rengorger en se comparant à ceux qui ont choisi un chemin spirituel différent.

Inutile de dire que la méditation n'est ni le *seul* chemin spirituel ni la *seule* manière de prier. (La question est aussi traitée au chapitre 14.) Il incombe à tous les adeptes de la méditation de garder à l'esprit que cet appel est gratuit, de rester humbles et reconnaissants pour ce don, de ne pas se comparer aux autres que Dieu a appelés à des chemins spirituels différents.

La conscience humaine du Christ

Dans *The Heart of Creation*, John Main explique ce qu'il entend par « conscience humaine du Christ » et le rapport qu'elle entretient avec la méditation :

> La méditation nous montre aussi qu'il nous est possible d'atteindre Dieu le Père par la conscience humaine de Jésus le Fils : en méditant dans la foi, nous découvrons en effet que Jésus

est le pont qui nous donne accès à l'autre rive; il est le bac, le traversier grâce auquel nous franchissons le fleuve d'égoïsme et voguons dans le lit du courant d'amour divin.

Nous parvenons graduellement à comprendre que l'amour est l'assise de toute réalité et que nous sommes invités à vivre pleinement dans l'amour de Jésus en adhérant à la douceur, à la compassion, à la compréhension. Le plus beau dans l'expérience de la méditation? Une fois que nous participons de la conscience humaine de Jésus, nous nous mettons à voir comme il voit, à aimer comme il aime, à comprendre comme il comprend, à pardonner comme il pardonne.

John Main y revient dans une de ses causeries :

Pour chacun d'entre nous, Jésus est le chemin jusqu'à Dieu. La conscience humaine de Jésus pendant sa vie terrestre s'est graduellement ouverte au Père. Aujourd'hui, la conscience humaine de Jésus, dans sa vie glorieuse, est totalement ouverte au Père par l'extraordinaire effet de la Rédemption. La conscience humaine de Jésus, chacun la trouve dans son cœur. C'est ce que signifie l'inhabitation du Saint-Esprit. Ouvrir notre conscience humaine à la conscience humaine de Jésus, telle est la tâche suprême de notre existence…

Lors d'un récent échange, le père Laurence Freeman, héritier spirituel de John Main, explicitait ainsi le concept de « conscience humaine du Christ » :

La contribution particulière de John Main à la compréhension moderne de la méditation chrétienne se caractérise par son insistance sur le rôle, dans notre expérience de Dieu, de la conscience humaine du Christ. Dans son existence pleinement humaine, Jésus a parachevé le cheminement humain en se transcendant lui-même et en se découvrant lui-même renouvelé dans le Père. Même dans sa vie terrestre, Jésus connut le Père comme l'origine de son être et le terme de son existence. Dans sa mort et sa résurrection, il se découvrit, de manière incomparable, l'unique Fils engendré.

Ce cheminement de transcendance de soi et de découverte de soi est la prière de Jésus. Et comme dit John Main : la prière essentielle du chrétien est sa participation à la prière de Jésus et son union avec elle. Cette prière ignore les limites du temps ou de l'espace. Dans son humanité glorieuse, Jésus ne cesse pas d'être humain. Sa parenté avec nous s'inscrit aujourd'hui dans son humanité — la compassion universelle de son amour s'étend universellement grâce au Saint-Esprit.

Dans la méditation, nous ouvrons notre conscience humaine — avec toutes ses limites et ses imperfections — à la conscience humaine de Jésus, illimitée et glorifiée dans la vie divine. Par conséquent, sa conscience (son corps, son âme et son esprit) nous conduit à la plénitude de l'être, à Dieu qui, dit Jésus, est l'aboutissement de sa mission : « Je suis venu pour que les hommes aient la vie et qu'ils l'aient en abondance » (*Jn* 10,10).

Lorsque nous méditons, comme chrétiens, telle est notre compréhension de ce que nous faisons, de la raison pour laquelle nous le faisons et du résultat de ce que nous faisons. Dans la période de méditation elle-même nous n'y songeons pas, bien entendu, mais nous nous ouvrons des plus entièrement à cette réalité et, de ce fait, tout notre être (corps, âme et esprit) finit par manifester en son temps les effets de cette expérience.

Chapitre 21

Le rôle de la Communauté mondiale de méditation chrétienne

La communauté

Les participants au John Main Seminar de 1991 à New Harmony, dans l'Indiana, ont créé la Communauté mondiale légalement enregistrée en leur nom au Royaume-Uni comme œuvre de bienfaisance. Elle est l'intendant spirituel des enseignements de John Main.

L'objectif

La Communauté a pour mission de faire connaître et de cultiver la méditation, telle que l'ont transmise les enseignements de John Main selon la tradition chrétienne, dans un esprit de service pour l'unité de tous. Ce dont s'acquitte pour l'essentiel, en régions, plus d'un millier de groupes de méditation qui se réunissent dans des maisons, des institutions religieuses, des collèges et universités, des hôpitaux, des prisons et d'autres lieux de réunion en plus de cinquante pays. En outre, chacun à sa manière, trente centres de méditation chrétienne dans divers pays sont membres actifs de la Communauté et y apportent leur contribution. La cohésion de la Communauté s'enracine dans les enseignements de John Main qui créent un pont pour le dialogue et la méditation avec d'autres religions et traditions. La diversité d'expression et les formes nouvelles de communauté y sont encouragées; l'affinité avec la tradition monastique, particulièrement la bénédictine, y est hautement prisée.

Le Comité d'orientation

Les activités de la Communauté sont supervisées par un Comité d'orientation composé de onze membres, dont le directeur de la Communauté et héritier spirituel de John Main, le père Laurence Freeman, moine bénédictin du Christ the King Monastery, à Londres. Carla Cooper, originaire de Houston, au Texas, en est la présidente en exercice (1999). Les autres membres du Comité d'orientation proviennent du Canada, de l'Australie, de l'Inde, de Singapour, du Royaume-Uni et des États-Unis.

Le Centre international

Un Centre international, sis à Londres, est au service de la Communauté[6]. Sous la gouverne du Comité d'orientation, le Centre international assure les fonctions vitales suivantes :

— Coopération et liaison avec les groupes nationaux, régionaux et locaux dans la poursuite de la mission mondiale et des objectifs de la

---

6   La Communauté mondiale de méditation chrétienne a son siège social à l'adresse suivante : 23 Kensington Square, Londres W8 5HN, Angleterre. Téléphone : 0171-937-4679. Télécopie : 0171-937-6790.

Communauté. Autre tâche particulièrement importante : soutenir la diffusion des enseignements dans les pays économiquement défavorisés et faire connaître les enseignements dans des régions où n'existent ni groupe ni centre.

— Assistance au directeur dans toutes ses activités, y compris la programmation et la planification des conférences, retraites et causeries.

— Services de soutien financier et administratif à la Communauté. Entre autres : communications, relations avec la presse, préparation de documents de référence, distribution du Bulletin (hors de l'Amérique du Nord), production d'un Répertoire international des groupes de méditation chrétienne, campagnes de financement.

— Coordination/supervision de la planification et de l'organisation, sur une base annuelle, du John Main Seminar (animé par Joan Chittister en 2004, par un groupe de conférenciers en 2003, par l'évêque Kallistos Ware en 2002, par l'archevêque Rowan Williams en 2001, par le Dalaï Lama et un groupe d'intervenants des années précédentes en 2000, par Huston Smith en 1999, par Thomas Keating en 1998, par Mary McAleese en 1997, par Raimon Panikkar en 1996, par Laurence Freeman en 1995, par le Dalaï Lama en 1994, par William Johnston en 1993, par Jean Vanier en 1992 et par Bede Griffiths en 1991).

— Soutien administratif au Comité d'orientation et à Medio Media, société éditrice de la Communauté.

Épilogue

En achevant ce livre, me vient spontanément à l'esprit la célèbre réplique de Hamlet à Polonius : « Des mots, des mots, des mots » (*Hamlet* II,2).

Une histoire complète à merveille la célèbre complainte de Hamlet. C'est l'histoire de deux moines : l'un âgé, l'autre plus jeune. Ils marchent côte à côte sur la berge d'un fleuve. Le plus jeune pose à son aîné toutes sortes de questions sur le fleuve : D'où vient-il? Où va-t-il? Quelle en est la profondeur? Est-il très froid? Son débit est-il rapide? Des questions, des questions, des questions. Le vieux moine finit par perdre patience. Il se tourne et pousse le jeune moine dans le fleuve. Et tandis qu'il aide ensuite le jeune moine à s'extraire du fleuve, le vieux moine lui dit : « Maintenant que tu as toutes les réponses, arrête de me poser des questions idiotes. »

Après toutes les questions, les réponses et bien des mots, la clé de la méditation chrétienne est maintenant de s'y lancer, de s'y mouiller. Il y a une limite à ce qu'on peut dire de la méditation. Vient le moment où il faut s'imprégner de l'expérience même, du courant d'amour divin, de l'Esprit du Christ au-dedans de nous. Comme dirait John Main, une seule chose importe en matière de méditation : c'est de « la pratiquer ».

Paul Harris

Bibliographie

ANONYME, *The Cloud of Unknowing*, présentation William Johnston, New York, Doubleday, 1973. (*Le nuage d'inconnaissance*, traduction Armel Guerne, Paris, Seuil, coll. « Point Sagesses», 1977.)

BAKER, Augustine, *Holy Wisdom*, Londres, Burns and Oates, 1964.

BAUMER-DESPEIGNE, Odettte, « The Spiritual Journey of Henry Le Saux — Abhishiktananda », *Cistercian Studies*, n° 4, 1983. (Le lecteur de langue française pourra consulter l'« Introduction » du même auteur *in* LE SAUX, Henri, *Initiation à la spiritualité des Upanishads* — « *Vers l'autre rive* », Saint-Vincent-sur-Jabron, Éditions Présence, coll. « Le soleil dans le cœur », [1979] 1989.)

Calliste et Ignace XANTHOUPOULOI, *Centurie spirituelle*, fascicule 1 de la *Philocalie des Pères neptiques*, introduction et traduction Jacques Touraille, Bégrolles-en-Mauge (France), Abbaye de Bellefontaine, 1979.

« John Cassien », *New Catholic Encyclopedia*, vol. 15, New York, McGraw-Hill, 1967.

CASSIEN, Jean. *Conferences*, Paulist Press, 1985. (*Conférences*, traduction Dom E. Pichery, Paris, Cerf, coll. « Sources chrétiennes », 1958; *Répondre à l'appel du Christ. La vie spirituelle à l'école des Pères du désert*, préface, choix de textes et postface Sr Agnès Égron, Paris, Cerf, coll. « Foi vivante », n° 369, 1996; *Les collations ou l'unité des sources*, traduction Dom E. Pichery, choix de textes et présentation Jean-Yves Leloup, Paris, Albin Michel/Cerf, coll. « Spiritualités vivantes », n° 102, 1992.)

Catéchisme de l'Église catholique, Ottawa, CECC, s.d.

CHARITON DE VALAMO (Higoumène), *L'art de la prière. Anthologie de textes spirituels sur la prière du cœur*, présentation Kallistos Timothy Ware, Bégrolles-en-Mauges, Abbaye de Bellefontaine, coll. « Spiritualité orientale », n° 18, 1976 (1996).

COLLEDGE, Edmund et James WALSH, *Julian of Norwich : Showings*, Paulist Press, 1978. (*Une révélation de l'amour de Dieu*, version brève des *Seize révélations de l'amour divin*, introduction et édition Sr A. M. Reynolds, sans mention de traducteur, Bégrolles-en-Mauges, Abbaye de Bellefontaine, coll. « Vie Monastique », n° 7, 1977.)

A Course in Miracles, Foundation for Inner Peace, 1992.

COWLEY, Deborah et George, *One Woman's Journey*, Ottawa, Novalis, 1992. (*Portrait de Pauline Vanier : la vie d'une femme*, traduction Béatrice Okecki, préface Jean Vanier, Ottawa, Novalis, 1995.)

CUMMINGS, Charles, *Spirituality and the Desert Experience*, Denvil, N.J., Dimension Books, 1978.

DUPRÉ, Louis et James A. WISEMAN, *Light from Light. An Anthology of Christian Mysticism*, Paulist Press, 1988.

EASTMAN, Patrick, « Once a Mother, Always a Mother », *Monos Journal*, mai 1993.

EASWARAN, Eknath, *Your Life Is Your Message*, New York, Hyperion, 1992. (*La vie comme un message. Retrouver l'harmonie avec soi-même, avec les autres et avec la Terre*, traduction Marie-Annick Thabaud, Montréal, Bellarmin, 1998.)

EASWARAN, Eknath, *Meditation. Commonsense Directions for an Uncommon Life*, Tomales, CA, Nilgiri Press, 1978. (*Méditation. Un programme en huit points pour donner un sens à sa vie*, traduction Marie-Annick Thabaud, Montréal, Bellarmin, 1996.)

EASWARAN, Eknath, *The Unstruck Bell*, Tomales, CA, Nilgiri Press, 1993.

MAÎTRE ECKHART, *The Essentials Sermons, Commentaries, Treatises and Defense*, Paulist Press et SPCK, 1981. (En français, il existe diverses éditions des sermons et traités; la plus récente regroupe en trois volumes quatre-vingt dix sermons : traduction et présentation Gwendoline Jarczyk et Pierre-Jean Labarrière, Paris, Albin Michel, coll. « Spiritualités vivantes », n° 156, n° 162 et n° 176.)

ÉVAGRE LE PONTIQUE, *Praxis et gnosis ou la guérison de l'esprit*, choix de textes et présentation Jean-Yves Leloup, Paris, Albin Michel/Cerf, coll. « Spiritualités chrétiennes », n° 103, 1992.

FREEMAN, Laurence, *A Short Span of Days*, Ottawa, Novalis, 1991.

FREEMAN, Laurence et Paul HARRIS, *The Christian Meditation Group : How to Lead a Group, How to Start a Group,* World Community for Christian Meditation, 1992. (Méditation chrétienne du Québec a publié à Montréal ce texte en français, sous le titre *Commencer un groupe de méditation.*)

GERARD, François, *Going on a Journey*, à compte d'auteur, 1991.

GOLDSTEIN, Joseph, *Insight Meditation, the Practice of Freedom*, Shambhala, 1993.

GRATTON, Carolyn, *The Art of Spiritual Guidance*, New York, Crossroad, 1993.

GRÉGOIRE DE NYSSE, The Life of Moses, Paulist Press/SPCK, 1978. (*Vie de Moïse ou l'être de désir*, traduction Jean Daniélou, présentation Jean-Yves Leloup, Paris, Albin Michel/Cerf, coll. « Spiritualités vivantes », n° 112, 1993.)

GRIFFITHS, Bede, *Discovering the Feminine* (vidéo), More Than Illusion Films, 1993.

GRIFFITHS, Bede, *The New Creation in Christ*, Londres, Darton, Longman and Todd, 1992.

GRIFFITHS, Bede, *The Golden String*, Londres, Harvin Press, 1954.

GRIFFITHS, Bede, « The Interface Between Christianity and Other Faiths » (texte d'une conférence), 1990.

GRIFFITHS, Bede, *The Marriage of East and West*, Londres, Collins, 1983. (*Expérience chrétienne et mystique hindoue*, traduction Charles H. de Brantes, préface Marie-Madeleine Davy, Paris, Albin Michel, coll. « Spiritualités vivantes », n° 133, 1995.)

GUY, Jean-Claude, *Paroles des anciens. Apophtegmes des pères du désert*, Paris, Seuil, coll. « Points Sagesse », 1976.

HARRIS, Paul, *The Fire of Silence and Stillness : An Anthology of Quotations for the Spiritual Journey*, Londres, Darton, Longman and Todd, 1995.

HARRIS, Paul, *John Main by Those Who Knew Him*, Londres/Ottawa, Darton, Longman and Todd/Novalis, 1991.

HIGGINS, John J., *Thomas Merton on Prayer*, New York, Doubleday, 1973.

JAMES, William, *Varieties of Religious Experience. A Study in Human Nature*, New York, Modern Library, 1929. (*Les formes multiples de l'expérience religieuse. Essai de psychologie descriptive*, Paris, Exergue, coll. « Les Essentiels de la Métapsychique », 2001.)

Jean de la Croix. *Œuvres spirituelles*, traduction Grégoire de Saint Joseph, Paris, Éditions du Seuil, [1947] 1971.

The Collected Works of John of the Cross, Kavanaugh et Rodroguez (eds.), Institute of Carmelite Studies, 1974.

The Complete Works of St. John of the Cross, édition E. Allison Peers, Londres, Burns, Oates and Washbourne, 1934.

JOHNSTON, William, *Being in Love, The Practice of Christian Prayer*, New York, Fordham University Press, 1999.

JOHNSTON, William, *The Inner Eye of Love. Mysticism and Religion*, New York , Harper & Row, 1978.

JOHNSTON, William, *The Mysticism of The Cloud of Unknowing*, Anthony Clarke Books and Abbey Press, 1975.

JOHNSTON, William, *Silent Music. The Science of Meditation*, New York , Harper & Row, 1974. (*Musique du silence. Recherche scientifique et méditation*, traduction Jean Prignaud, Paris, Cerf, [1977] 1978.)

KEATING, Thomas, *Intimacy With God*, New York, Crossroad, 1994. (Seul un autre ouvrage de l'auteur sur la méditation a été traduit en français : *Prier dans le secret. La dimension contemplative de l'Évangile* [*Open Mind, Open Heart*], traduction Marie-Noëlle Maillard, Paris, La Table Ronde, 2000.)

KIERKEGAARD, Sören, *The Sickness Unto Death*, Princeton University Press, 1954. («La maladie mortelle est le désespoir», in *Traité du désespoir*, traduction Knud Ferlov et Jean-Jacques Gateau, introduction Jean-Jacques Gatteau, Paris, Gallimard, coll. « folio/essais », n° 94, [1988] 2000.)

LAO-TSEU, *Tao Te King ou Le livre de la voie et de la vertu*, traduction Stanislas Julien, révision des notes et postface Catherine Despeux, Paris, Mille et une nuits, coll. « La petite collection », n° 109, 1996.

LAW, William, *The Life of Christian Devotion*, Abingdon Press, 1961.

LAW, William, *The Spirit of Love, Classics of Western Spirituality*, Paulist Press, 1978.

Leech, Kenneth, *Soul Friend : A Study of Spirituality*, Londres, Darton, Longman and Todd, 1974.

Louf, André, *Teach Us to Pray*, Darton, Longman and Todd, nouvelle édition, 1991. (*Seigneur, apprends-nous à prier*, traduction André Nazé, Bruxelles, Éditions Foyer Notre-Dame, 1974.)

McKenty, Neil, *In the Stillness Dancing*, Londres, Darton, Longman and Todd, 1986.

Main, John, *Christian Meditation : The Gethsemani Talks*, World Community for Christian Meditation, 1977. (*La méditation chrétienne. Conférences de Gethsémani*, traduction Claire Breton, [Montréal] Benedictine Priory, [1978] 1985.)

Main, John, *Community of Love*, Londres, Darton, Longman and Todd, 1990.

Main, John, « Death the Inner Journey », *in Community of Love*. (*La mort : le voyage intérieur*, traduction Claudine Bertrand, [Montréal] Méditation chrétienne du Québec, 1994.)

Main, John, *The Heart of Creation*, Londres, Darton, Longman and Todd, 1983.

Main, John, *The Inner Christ*, Londres, Darton, Longman and Todd, 1987.

Main, John, *Letters From the Heart*, New York, Crossroad, 1982.

Main, John, « The Other-Centredness of Mary », *in Community of Love*.

Main, John, *Moment of Christ*, Londres, Darton, Longman and Todd, 1984. (*Le chemin de la méditation*, traduction Jean Chapdelaine Gagnon, Montréal, Bellarmin, 2001.)

Main, John, *The Present Christ*, Londres, Darton, Longman and Todd, 1985.

Main, John, *Word into Silence*, Londres, Darton, Longman and Todd, 1980. (*Un mot dans le silence, un mot pour méditer*, traduction Claudine Bertrand, Montréal, Le Jour Éditeur, 1995.)

Main, John, *The Way of Unknowing*, Londres, Darton, Longman and Todd, 1989.

Mataji, Wandana, *Swami Abhishiktananda. The Man and His Touching*, SPCK, 1986.

Merton, Thomas, « The Inner Experience », *Cistercian Studies*, 1983-1984.

MERTON, Thomas, *Mystics and Zen Masters*, New York : Farrar, Straus and Giroux, 1967. (*Mystique et zen*, suivi de *Journal d'Asie*, traduction C. Tunmer et Jean-Pierre Denis, Paris, Albin Michel, coll. « La bibliothèque spirituelle », n° 4, (Cerf, 1972; Critérion, 1990) 1995.)

MERTON, Thomas, *New Seeds of Contemplation*, Londres, Burns & Oates, 1962. (*Nouvelles semences de contemplation*, traduction Marie Tadié, Paris, Seuil, 1963.)

MERTON, Thomas, *The Tears of the Blind Lions*, New York, J. Laughlin, 1949.

MERTON, Thomas, *The Waters of Siloe*, Garden City, N.Y. , Image Books, [1949] 1949. (*Aux sources du silence*, traduction Jean Stiénon du Pré, Desclée de Brouwer, [1952] 1955.)

MERTON, Thomas, *The Way of Chuang Tzu*, Londres, Unwin Books, 1970 (Des extraits ont paru en français in *Zen, tao et nirvâna. Esprit et contemplation en Extrême-Orient*, traduction F. Ledoux, préface Marco Pallis, Paris, Fayard, coll. « Documents spirituels », n° 1, [1970] 1986).

MERTON, Thomas, *What Is Contemplation?*, Springfield, Ill., Template Publish., 1950.

MERTON, Thomas, *The Wisdom of the Desert*, Londres, Sheldon Press, 1974. (*La sagesse du désert. Apophtegmes des Pères du désert du IVe siècle*, traduction Marie Tadié, Paris, Albin Michel, coll. « Spiritualités vivantes », n° 65, [1967] 1987.)

The New Yorker Magazine, 20 W. 43rd St., New York, NY, 10036, USA.

Petite philocalie de la prière du cœur, traduction et présentation Jean Gouillard, Paris, Seuil, coll. « Points Sagesses », n° 20, 1979.

PICARD, Max, *The World of Silence*, Chicago, H. Regnery, 1988. (Une traduction française de l'ouvrage, aujourd'hui introuvable, a paru sous le titre *Le monde du silence*.)

SAINT-EXUPÉRY, Antoine de, *The Little Prince*, San Diego, Ca, Hartcourt Brace and World, 1943. (*Le Petit Prince*, avec des aquarelles de l'auteur, Gallimard, coll. « folio junior », n° 100, 2003.)

SHANNON, William, *Thomas Merton's Dark Path*, New York, Farrar, Straus and Giroux, 1987.

SCHUMACHER, E. F., *Small Is Beautiful*, Londres, Random House, 1989. (*Small is beautiful*, Paris, Seuil, coll. « Points Essais », n° 105, 1979.)

SIMON, Madeleine, *Born Contemplative*, Londres, Darton, Longman and Todd, 1993.

SMITH, Cyprian, *The Way of Paradox : Spiritual Life as Taught by Meister Eckhart*, Londres, Darton, Longman and Todd, 1987. (*Un chemin de paradoxe. La vie spirituelle selon Maître Eckhart*, traduction Réginald Stoffel, Paris, Cerf, 1997.)

STEWART, Mary et Giovanni FELICIONI, *The Body in Meditation* (vidéo), 1990.

The Tablet, 1 King St., Cloisters, Clifton Walk, Londres, W6 0QZ.

The Way of the Pilgrim, R. M. French (trad.), New York, Seabury Press, 1970. (*Récits d'un pèlerin russe*, nouvelle édition revue et mise à jour, traduction et présentation Jean Laloy, Paris, La Baconnière/Seuil, coll. « Points/Sagesses », n° 14, [1978] 2002; *Le pèlerin russe. Trois récits inédits*, « Introduction » Olivier Clément, Bégrolles-en-Mauges, Bellefontaine, coll. « Points/Sagesses », n° 19, [1979] 2000.)

TERESA, Mère, *Mother Teresa, Contemplative in the Heart of the World*, Servant Books, 1985. (*Par la parole et par l'exemple*, textes réunis par le père Angelo Devananda Scolozzi, traduction Jean-Marie Wallet, Nouvelle Cité, [1990] 1991. Le lecteur francophone trouvera aussi certains extraits cités ici *in* Mère Teresa et Frère Roger, *La prière, fraîcheur d'une source*, Paris, Bayard, 2003.)

TCHOUANG-TSEU, *Aphorismes*, choix et présentation Marc de Smedt, Paris, Albin Michel, coll. « Spiritualités vivantes », n° 55, 1986.

TUOTI, Frank X., *Why Not Be a Mystic?*, New York, Crossroad, 1995.

VANIER, Jean, *Talks at the 1992 John Main Seminar*, World Community for Christian Meditation, s.d. (On trouvera certains des passages cités dans *La communauté, lieu du pardon et de la fête*, Paris/Montréal, Fleurus/Bellarmin, 1979.)

Vatican II. Decree of the Church's Missionary Activity, *Ad Gentes*, 1965. Declaration on the Relation of the Church to Non-Christian Religions, *Nostra Aetate*, 1967. (*Vatican II : les seize documents conciliaires. Texte intégral*, nouvelle édition, Paul-Aimé Martin, c.s.c. (dir.), Montréal, Fides, 2001.)

WARE, Kallistos. Theology and Prayer, Ed. A. M. Allchin, Studes Supplementary to Sobornost, n° 3, 1975. (Les citations sont extraites de « L'hésychia et le silence dans la prière », *in Le royaume intérieur*, traduction et adaptation Lucie et Maxime Egger, Paris, Cerf, coll. « Le sel de la terre », [1993] 1996.)

WILBER, Ken, *Grace and Grit*, Shambhala, 1991.

WILD, Robert, *Enthusiasm in the Spirit*, Notre-Dame, Ind., Ave Maria Press, 1975.

WILD, Robert. *The Post Charismatic Experience. The New Wave of the Spirit*, Locust Valley, N.Y., Living Flame Press, 1984.

Index onomastique

Index thématique

La Communauté mondiale de méditation chrétienne

Centre International
23 Kensington Square, London W8 5HN, United Kingdom
Téléphone : 0171 937 4679 Télécopie : 0171 937 6790

Australie
Christian Meditation Community
155 Rowntree Street, Balmain 2041, Sydney, NSW
Téléphone : 02 269 5071

Brésil
Meditacco Christa no Brasil
Nucleo Dom John Main, Caixa Postal 33266,
22442-970 Rio de Janeiro, RJ Brasil
Téléphone : (21) 274-7104

Canada
Christian Meditation Community
P.O. Box 552, Station NDG, Montréal, Québec H4A 3P9
Téléphone : 514 766 0475 Télécopie : 514 937 8178

Québec
Méditation chrétienne du Québec
7400, boul. Saint-Laurent, bureau 526
Montréal (QC)
Canada H2R 2X1
Téléphone : (514) 525-4649
Adresse électronique : medchre@bellnet.ca

Ontario
John Main Centre
PO Box 56131, Ottawa, Ontario K1R 7Z0
Téléphone : 613 236 9437

Inde
Christian Meditation Centre
1/1429 Bilanthikulam Road, Calicut 673006 Kerala
Téléphone : 495 60395

Irlande
Christian Meditation Centre
4 Eblana Ave., Dun Laoghaire, Co. Dublin
Téléphone : 01 2801 505

Nouvelle-Zélande
Christian Meditation Centre
4 Argyle Rd., Browns Bay, Auckland 1310
Téléphone/Télécopie : 64 9 478 3438

Philippines
Christian Meditation Centre
5/f Chronicle Building, Cor. Tektite Road, Meralco Avenue/Pasig,
M., Manila
Téléphone : 02 633 3364 Télécopie : 02 632 3104

Singapour
Christian Meditation Centre
9 Mayfield St., Singapour 438 023
Téléphone : 65 348 6790

Thaïlande
Christian Meditation Centre
51/1 Sedsiri Road, Bangkok 10400
Téléphone : 271 3295

Royaume-Uni
Christian Meditation Centre
29 Campden Hill, Londres W8 7DX
Téléphone : 0171 937 0014 Télécopie : 0171 937 6790

États-Unis
John Main Institute
7315 Brookville Road, Chevy Chase, MD 20815
Téléphone : 301 652 8635
Christian Meditation Centre
1080 West Irving Park Rd., Roselle, Illinois
Téléphone : 708 351 2613

Pour la liste complète des centres et groupes de méditation chrétienne, prière de s'adresser au Centre international.

Table des matières

MEMBRE DE SCABRINI MEDIA

Québec, Canada
2004